POÉSIES
UNE SAISON EN ENFER
ILLUMINATIONS
ET AUTRES TEXTES

ARTHUR RIMBAUD

Poésies
Une Saison en enfer
Illuminations
et autres textes

PRÉFACE DE PAUL CLAUDEL

ÉDITION ÉTABLIE
PAR PASCAL PIA

LE LIVRE DE POCHE

PRÉFACE

ARTHUR RIMBAUD fut un mystique *à l'état sauvage,* une source perdue qui ressort d'un sol saturé. Sa vie, *un malentendu,* la tentative en vain par la fuite d'échapper à cette voix qui le sollicite et le relance, et qu'il ne veut pas reconnaître : jusqu'à ce qu'enfin, réduit, la jambe tranchée, sur ce lit d'hôpital à Marseille, il sache!

« Le bonheur! Sa dent, douce à la mort, m'avertissait au chant du coq — *ad matutinum,* au *Christus venit* —, dans les plus sombres villes. » — « Nous ne sommes pas au monde! » — « Par l'esprit on va à Dieu!... C'est cette minute d'éveil qui m'a donné la vision de la pureté... Si j'étais bien éveillé à partir de cette minute-ci... » (et tout le passage célèbre de la *Saison en Enfer*)... « Déchirante infortune! »

Comparez, entre maints textes, cette référence, que j'ose emprunter à sainte Chantal (citée par l'abbé Bremond) :

« Au point du jour, Dieu m'a fait goûter presque imperceptiblement une petite lumière en la très haute suprême pointe de mon esprit. Tout le reste de mon âme et ses facultés n'en ont point joui : mais elle n'a duré environ qu'un demi-*Ave Maria.* »

Arthur Rimbaud apparaît en 1870, à l'un des moments les plus tristes de notre histoire, en pleine déroute, en pleine guerre civile, en pleine déconfiture matérielle et morale, en pleine stupeur positiviste. Il se lève tout à coup — « comme Jeanne d'Arc! » s'écriera-t-il plus tard lamentablement (1). Il faut lire dans le livre de Paterne Berrichon (2) le récit tragique de cette *vocation.* Mais ce n'est pas une parole qu'il a en-

---

(1) « Il y eut un homme appelé Jean. »
(2) *Jean-Arthur Rimbaud, le Poète.* (Mercure de France, édit.)

tendue. Est-ce une voix? Moins encore : une simple inflexion, mais qui suffit à lui rendre désormais impossible le repos et « la camaraderie des femmes ». Est-il donc si téméraire de penser que c'est une volonté supérieure qui le suscite? dans la main de qui nous sommes tous : muette et qui a choisi de se taire. Est-ce un fait commun de voir un enfant de seize ans doué des facultés d'expression d'un homme de génie? Aussi rare que cette louange de Dieu dans la bouche d'un nouveau-né dont nous parlent les récits indubitables. Et quel nom donner à un si étrange événement?

« Je vécus, étincelle d'or, de la lumière *nature*! De joie, je prenais une expression bouffonne et égarée au possible. » Une ou deux fois, la note, d'une pureté édénique, d'une douceur infinie, d'une déchirante tristesse, se fait entendre aux oreilles d'un monde abject et abruti, dans le fracas d'une littérature grossière. Et cela suffit. « J'ai brassé mon sang. Mon devoir m'est remis. » Il a fini de parler. On ne confie pas de secrets à un cœur descellé. Il ne lui reste plus qu'à se taire et à écouter, sachant, comme cette sainte encore, que « les pensées ne mûrissent pas d'être dites ». Il regarde avec une ardente et profonde curiosité, avec une mystérieuse sympathie qui ne peut plus être exprimée « en paroles païennes », ces choses qui nous entourent et qu'il sait que nous ne voyons qu'en reflets et en énigmes; « un certain commencement », une amorce. Toute la vie n'est pas de trop pour faire la conquête spirituelle de cet univers ouvert par les explorateurs du siècle qui finit, pour épuiser la création, pour savoir quelque chose de ce qu'elle *veut dire*, pour douer de quelques mots enfin cette voix crucifiante au fond de lui-même.

Il nous reste quelques feuillets de son « carnet de damné » comme il l'appelle amèrement, quelques pages laissées par notre hôte d'un jour en ce lieu qu'il a définitivement vidé « pour ne pas voir quelqu'un d'aussi peu noble que nous ». Si courte qu'ait été la vie littéraire de Rimbaud, il est cependant possible d'y reconnaître trois périodes, trois manières.

La première est celle de la violence, du mâle tout pur, du génie aveugle qui se fait jour comme un jet de sang, comme un cri qu'on ne peut retenir en vers d'une force et d'une roideur inouïes :

Corps remagnétisé par les énormes peines,
Tu rebois donc la vie effroyable, tu sens
Sourdre le flux des vers livides en tes veines!

(Paris se repeuple.)

Mais, ô Femme, monceau d'entrailles, pitié douce!

(Les Sœurs de Charité.)

Qu'il est touchant d'assister à cette espèce de *mue* du génie et de voir éclater ces traits fulgurants parmi des espèces de jurons, de sanglots et de balbutiements (1)!

La seconde période est celle du voyant. Dans une lettre du 15 mai 1871, avec une maladresse pathétique, et dans les quelques pages de la *Saison en Enfer* — intitulées « Alchimie du Verbe » — Rimbaud a essayé de nous faire comprendre « la méthode » de cet art nouveau qu'il inaugure et qui est vraiment une *alchimie*, une espèce de transmutation, une décantation spirituelle des éléments de ce monde. Dans ce besoin de s'évader qui ne le lâche qu'à la mort, dans ce désir de « voir » qui tout enfant lui faisait écraser son œil avec son poing (*Les poètes de sept ans*), il y a bien autre chose que la vague nostalgie romantique. « La vraie vie est absente. Nous ne sommes pas au monde. » Ce n'est pas de fuir qu'il s'agit, mais de trouver « le lieu et la formule », « l'Eden »; de reconquérir notre état primitif de « Fils du soleil ». Le matin, quand l'homme et ses souvenirs ne se sont pas réveillés en même temps, ou bien encore au cours d'une longue journée de marche sur les routes, entre l'âme et le corps assujetti à un desport rythmique se produit une solution de continuité; une espèce d'hypnose « ouverte » s'établit, un état de réceptivité pure fort singulier. Le langage en nous prend une valeur moins d'expression que de signe; les mots fortuits qui montent à la surface de l'esprit, le refrain, l'obsession d'une phrase continuelle forment une espèce d'incantation qui finit par coaguler la conscience, cependant que notre miroir intime est laissé, par rapport aux choses du dehors, dans un état de *sensibilité* presque matérielle. Leur ombre se projette *directement* sur notre imagination et *vire* sur son iridescence. Nous sommes mis en communication. C'est ce double état du marcheur que traduisent les *Illuminations :* d'une part les petits vers qui ressemblent à une ronde d'enfants et aux paroles d'un libretto, de l'autre les images désordonnées qui substituent à l'élaboration grammaticale, ainsi qu'à la logique extérieure, une espèce d'accouplement direct et métaphorique. « Je devins un opéra fabuleux. » Le poète trouve expression non plus en cherchant les mots, mais au contraire en se mettant dans un état de silence et en faisant passer sur lui la nature, les espèces sensibles « qui accrochent et tirent (2) ». Le monde et lui-même se découvrent

---

(1) Dès les plus anciennes pièces de Rimbaud, on trouve des vers comme ceux-ci :

...Où, *lentement vainqueur*, il domptera les choses

   Et montera sur Tout, comme sur un cheval, ...

.. ..

...*Ce qu'on ne sait pas, c'est peut-être terrible!*

(*Le Forgeron.*)

(2) Lettre du 15 mai 1871 précitée.

7

l'un par l'autre. Chez ce puissant imaginatif, le mot « *Comme* » disparaissant, l'hallucination s'installe et les deux termes de la métaphore lui paraissent presque avoir le même degré de réalité. « A chaque être plusieurs *autres* vies me semblaient dues. Ce monsieur ne sait ce qu'il fait, il est un ange. Cette famille est une nichée de chiens. » Pratiques extrêmes, espèce de mystique « matérialiste (1) », qui auraient pu égarer ce cerveau pourtant solide et raisonnable (2). Mais il s'agissait d'aller à *l'esprit*, d'arracher le masque à cette nature « absente », de posséder enfin le texte accessible à tous les sens, « la vérité dans une âme et un corps », un monde adapté à notre âme personnelle (3).

Troisième période. — J'ai déjà cité souvent la *Saison en Enfer* (4). Il me reste peu de chose à ajouter à l'analyse définitive que Paterne Berrichon (5) a faite de ce livre si sombre, si amer, et en même temps pénétré d'une mystérieuse douceur. Là, Rimbaud, arrivé à la pleine maîtrise de son art, va nous faire entendre cette prose merveilleuse tout imprégnée jusqu'en ses dernières fibres, comme le bois moelleux et sec d'un Stradivarius, par le son intelligible. Après Chateaubriand, après Maurice de Guérin, notre prose française, dont le travail en son histoire si pleine, et si différente de celle de notre poésie, n'a jamais connu d'interruption ni de lacune, a abouti à cela. Toutes les ressources de l'incidente, tout le concert des terminaisons, le plus riche et le plus subtil qu'aucune langue humaine puisse apprêter, sont enfin pleinement utilisés. Le principe de la « rime intérieure », de l'accord dominant, posé par Pascal, est développé avec une richesse de modulations et de résolutions incomparable. Qui une fois a subi l'ensorcellement de Rimbaud est aussi impuissant désormais à le conjurer que celui d'une phrase de Wagner. La marche de la pensée aussi qui procède non plus par développement logique, mais, comme chez un musicien, par dessins mélodiques et le rapport de notes juxtaposées, prêterait à d'importantes remarques.

(1) Lettre précitée.

(2) « Je ne pouvais pas continuer, je serais devenu fou et puis..., c'était mal. » (Paroles à Isabelle Rimbaud.) Voir aussi : *Saison en Enfer*.

(3) « Il voulut voir la vérité, l'heure du désir et de la satisfaction essentielle. Que ce fût ou non une aberration de piété, il voulut. Il possédait au moins un assez large pouvoir humain. » Voir tout ce *Conte* qui illustre le côté destructeur de Rimbaud. (*Illuminations*, page 222.)

(4) 1873 : l'année des *Amours jaunes* et des *Chants de Maldoror*. C'est ici que Rimbaud a voulu s'arrêter sur la route de Dieu dans une espèce d'attente suspicieuse. Mais il reste l'Univers « et tout l'après-midi où ils s'avancèrent du côté des jardins de palmes ».

(5) Ouvrage précité.

Je pose la plume, et je revois ce pays qui fut le sien et que je viens de parcourir : la Meuse pure et noire, Mézières, la vieille forteresse coincée entre de dures collines, Charleville dans sa vallée pleine de fournaises et de tonnerres. (C'est là qu'il repose sous un blanc tombeau de petite fille.) Puis cette région d'Ardenne, moissons maigres, un petit groupe de toits d'ardoise, et toujours à l'horizon la ligne légendaire des forêts. Pays de sources où l'eau limpide et captive de sa profondeur tourne lentement sur elle-même; l'Aisne glauque encombrée de nénuphars et trois longs roseaux jaunes qui émergent du jade. Et puis cette gare de Voncq, ce funèbre canal à perte de vue bordé d'un double rang de peupliers : c'est là qu'un sombre soir, à son retour de Marseille, l'amputé attendit la voiture qui devait le ramener chez sa mère. Puis à Roche la grande maison de pierres corrodées avec sa haute toiture paysanne et la date : 1791, au-dessus de la porte, la chambre à grains où il écrivit son dernier livre, la cheminée ornée d'un grand crucifix où il brûla ses manuscrits, le lit où il a souffert. Et je manie des papiers jaunis, des dessins, des photographies, celle-ci entre autres si tragique où l'on voit Rimbaud tout noir comme un Nègre, la tête nue, les pieds nus, dans le costume de ces forçats qu'il admirait jadis, sur le bord d'un fleuve d'Ethiopie (1), des portraits à la mine de plomb et cette lettre enfin d'Isabelle Rimbaud qui raconte les derniers jours de son frère en l'hôpital de la Conception, à Marseille (2).

« ... Il me regardait avec le ciel dans les yeux... Alors, il m'a dit : « Il faut tout préparer dans la chambre, tout ranger, le prêtre va revenir avec les sacrements. Tu vas voir, on va apporter les cierges et les dentelles, il faut mettre des linges blancs partout... » Eveillé, il achève sa vie dans une sorte de rêve continuel : il dit à présent des choses bizarres très doucement, d'une voix qui m'enchanterait si elle ne me perçait le cœur. Ce qu'il dit, ce sont des rêves — pourtant ce n'est pas la même chose du tout que quand il avait la fièvre. *On dirait*,

(1) « Hélas! je ne tiens plus du tout à la vie et, si je vis, je suis habitué à vivre de fatigue... et à me nourrir de chagrins aussi véhéments qu'absurdes dans des climats atroces... Puissions-nous jouir de quelques années de vrai repos, dans cette vie; et heureusement que cette vie est la seule, et que cela est évident, *puisqu'on ne peut s'imaginer une autre vie avec un ennui plus grand que celle-ci*. » (Aden, 25 mai 1881.) Il a touché le fond, du moins, il le croit. Cette région de la mer Rouge qui finit par fixer l'errant est bien celle de la terre qui ressemble le plus à l'enfer classique, « l'ancien, celui dont le Fils de l'Homme ouvrit les portes ».

(2) A ce moment, elle ignorait tout des livres de son frère. Cette lettre, adressée à Mme Rimbaud, est datée de l'hôpital de la Conception, le 28 octobre 1891.

et je crois qu'il le fait exprès (1). Comme il murmurait ces choses-là, la sœur m'a dit tout bas : « Il a donc encore perdu connaissance? » Mais il a entendu *et est devenu tout rouge;* il n'a plus rien dit, mais la sœur partie, il m'a dit : « On me croit fou, et toi, le crois-tu? » Non, je ne le crois pas, c'est un être immatériel presque et sa pensée s'échappe malgré lui. Quelquefois, il demande aux médecins si eux voient les choses extraordinaires qu'il aperçoit, et il leur parle et leur raconte avec douceur, en termes que je ne saurais rendre, ses impressions : les médecins le regardent dans les yeux, ces beaux yeux qui n'ont jamais été si beaux et plus intelligents, et se disent entre eux : c'est singulier. Il y a, dans le cas d'Arthur, quelque chose qu'ils ne comprennent pas. Les médecins d'ailleurs ne viennent presque plus parce qu'il pleure souvent en leur parlant, et cela les bouleverse. Il reconnaît tout le monde, moi il m'appelle parfois Djami, mais je sais que c'est parce qu'il le veut, et que cela rentre dans son rêve voulu ainsi; d'ailleurs, il mêle tout et... *avec art.* Nous sommes au Harrar, nous partons toujours pour Aden, il faut chercher des chameaux, organiser la caravane; il marche très facilement avec la nouvelle jambe articulée; nous faisons quelques tours de promenade sur de beaux mulets richement harnachés; puis il faut travailler, tenir les écritures, faire des lettres. Vite, vite, on nous attend, fermons les valises et partons. Pourquoi l'a-t-on laissé dormir? Pourquoi ne l'aidé-je pas à s'habiller? Que dira-t-on si nous n'arrivons pas aujourd'hui? On ne le croira pas sur parole, on n'aura plus confiance en lui! Et il se met à pleurer en regrettant ma maladresse et ma négligence, car je suis toujours avec lui et c'est moi qui suis chargée de faire tous les préparatifs... »

Je suis un de ceux qui l'ont cru sur parole, un de ceux qui ont eu confiance en lui.

Paul Claudel.

(1) C'est moi qui souligne.

POÉSIES

Rimbaud n'a jamais réuni ses poèmes, qui n'ont été publiés que peu à peu, et pour la plupart après sa mort. On les trouvera ici classés dans un ordre où nous nous sommes efforcés de suivre la chronologie de leur composition.

LES ÉTRENNES DES ORPHELINS

I

La chambre est pleine d'ombre; on entend vaguement
De deux enfants le triste et doux chuchotement.
Leur front se penche, encore alourdi par le rêve,
Sous le long rideau blanc qui tremble et se soulève...
— Au dehors les oiseaux se rapprochent frileux;
Leur aile s'engourdit sous le ton gris des cieux;
Et la nouvelle Année, à la suite brumeuse,
Laissant traîner les plis de sa robe neigeuse,
Sourit avec des pleurs, et chante en grelottant...

II

Or les petits enfants, sous le rideau flottant,
Parlent bas comme on fait dans une nuit obscure.
Ils écoutent, pensifs, comme un lointain murmure...
Ils tressaillent souvent à la claire voix d'or
Du timbre matinal, qui frappe et frappe encor
Son refrain métallique en son globe de verre...
— Puis, la chambre est glacée... on voit traîner à terre,
Epars autour des lits, des vêtements de deuil :
L'âpre bise d'hiver qui se lamente au seuil
Souffle dans le logis son haleine morose!
On sent, dans tout cela, qu'il manque quelque chose...
— Il n'est donc point de mère à ces petits enfants,
De mère au frais sourire, aux regards triomphants?
Elle a donc oublié, le soir, seule et penchée,
D'exciter une flamme à la cendre arrachée,
D'amonceler sur eux la laine et l'édredon
Avant de les quitter en leur criant : pardon.
Elle n'a point prévu la froideur matinale,
Ni bien fermé le seuil à la bise hivernale?...
— Le rêve maternel, c'est le tiède tapis,

C'est le nid cotonneux où les enfants tapis,
Comme de beaux oiseaux que balancent les branches,
Dorment leur doux sommeil plein de visions blanches!...
— Et là, — c'est comme un nid sans plumes, sans chaleur,
Où les petits ont froid, ne dorment pas, ont peur;
Un nid que doit avoir glacé la bise amère...

III

Votre cœur l'a compris : — ces enfants sont sans mère,
Plus de mère au logis!... — et le père est bien loin!...
— Une vieille servante, alors, en a pris soin.
Les petits sont tout seuls en la maison glacée;
Orphelins de quatre ans, voilà qu'en leur pensée
S'éveille, par degrés, un souvenir riant...
C'est comme un chapelet qu'on égrène en priant :
— Ah! quel beau matin, que ce matin des étrennes!
Chacun, pendant la nuit, avait rêvé des siennes
Dans quelque songe étrange où l'on voyait joujoux,
Bonbons habillés d'or, étincelants bijoux,
Tourbillonner, danser une danse sonore,
Puis fuir sous les rideaux, puis reparaître encore!
On s'éveillait matin, on se levait joyeux,
La'lèvre affriandée, en se frottant les yeux...
On allait, les cheveux emmêlés sur la tête,
Les yeux tout rayonnants, comme aux grands jours de fête,
Et les petits pieds nus effleurant le plancher,
Aux portes des parents tout doucement toucher...
On entrait!... Puis alors les souhaits... en chemise,
Les baisers répétés, et la gaîté permise!

IV

Ah! c'était si charmant, ces mots dits tant de fois!
— Mais comme il est changé, le logis d'autrefois :
Un grand feu pétillait, clair, dans la cheminée,
Toute la vieille chambre était illuminée;
Et les reflets vermeils, sortis du grand foyer,
Sur les meubles vernis aimaient à tournoyer...
— L'armoire était sans clefs!... sans clefs, la grande armoire!

On regardait souvent sa porte brune et noire...
Sans clefs!... c'était étrange!... on rêvait bien des fois
Aux mystères dormant entre ses flancs de bois,
Et l'on croyait ouïr, au fond de la serrure
Béante, un bruit lointain, vague et joyeux murmure...
— La chambre des parents est bien vide, aujourd'hui :
Aucun reflet vermeil sous la porte n'a lui;
Il n'est point de parents, de foyer, de clefs prises :
Partant, point de baisers, point de douces surprises!
Oh! que le jour de l'an sera triste pour eux!
— Et, tout pensifs, tandis que de leurs grands yeux bleus
Silencieusement tombe une larme amère,
Ils murmurent : « Quand donc reviendra notre mère? »
. . . .

V

Maintenant, les petits sommeillent tristement :
Vous diriez, à les voir, qu'ils pleurent en dormant,
Tant leurs yeux sont gonflés et leur souffle pénible!
Les tout petits enfants ont le cœur si sensible!
— Mais l'ange des berceaux vient essuyer leurs yeux,
Et dans ce lourd sommeil met un rêve joyeux,
Un rêve si joyeux, que leur lèvre mi-close,
Souriante, semblait murmurer quelque chose...
— Ils rêvent que, penchés sur leur petit bras rond,
Doux geste du réveil, ils avancent le front,
Et leur vague regard tout autour d'eux se pose...
Ils se croient endormis dans un paradis rose...
Au foyer plein d'éclairs chante gaîment le feu...
Par la fenêtre on voit là-bas un beau ciel bleu;
La nature s'éveille et de rayons s'enivre...
La terre, demi-nue, heureuse de revivre,
A des frissons de joie aux baisers du soleil...
Et dans le vieux logis tout est tiède et vermeil :
Les sombres vêtements ne jonchent plus la terre,
La bise sous le seuil a fini par se taire...
On dirait qu'une fée a passé dans cela!...
— Les enfants, tout joyeux, ont jeté deux cris... Là,
Près du lit maternel, sous un beau rayon rose,
Là, sur le grand tapis, resplendit quelque chose...

Ce sont des médaillons argentés, noirs et blancs,
De la nacre et du jais aux reflets scintillants;
Des petits cadres noirs, des couronnes de verre,
Ayant trois mots gravés en or : « A NOTRE MÈRE! »
. . . .

[*1869.*]

SENSATION

PAR les soirs bleus d'été, j'irai dans les sentiers,
Picoté par les blés, fouler l'herbe menue :
Rêveur, j'en sentirai la fraîcheur à mes pieds.
Je laisserai le vent baigner ma tête nue.

Je ne parlerai pas, je ne penserai rien :
Mais l'amour infini me montera dans l'âme,
Et j'irai loin, bien loin, comme un bohémien,
Par la Nature, — heureux comme avec une femme.

Mars 1870.

LE FORGERON

Palais des Tuileries, vers le 10 août 92.

LE bras sur un marteau gigantesque, effrayant
D'ivresse et de grandeur, le front vaste, riant
Comme un clairon d'airain, avec toute sa bouche,
Et prenant ce gros-là dans son regard farouche,
Le Forgeron parlait à Louis Seize, un jour
Que le peuple était là, se tordant tout autour,
Et sur les lambris d'or traînant sa veste sale.
Or le bon roi, debout sur son ventre, était pâle,
Pâle comme un vaincu qu'on prend pour le gibet,
Et, soumis comme un chien, jamais ne regimbait,
Car ce maraud de forge aux énormes épaules
Lui disait de vieux mots et des choses si drôles,
Que cela l'empoignait au front, comme cela!

« Or, tu sais bien, Monsieur, nous chantions tra la la
Et nous piquions les bœufs vers les sillons des autres :
Le Chanoine au soleil filait des patenôtres
Sur des chapelets clairs grenés de pièces d'or.
Le Seigneur, à cheval, passait, sonnant du cor.
Et l'un avec la hart, l'autre avec la cravache
Nous fouaillaient. — Hébétés comme des yeux de vache,
Nos yeux ne pleuraient plus; nous allions, nous allions,
Et quand nous avions mis le pays en sillons,
Quand nous avions laissé dans cette terre noire
Un peu de notre chair... nous avions un pourboire :
On nous faisait flamber nos taudis dans la nuit;
Nos petits y faisaient un gâteau fort bien cuit.

... « Oh! je ne me plains pas. Je te dis mes bêtises,
C'est entre nous. J'admets que tu me contredises.
Or, n'est-ce pas joyeux de voir, au mois de juin,
Dans les granges entrer des voitures de foin
Enormes? De sentir l'odeur de ce qui pousse,
Des vergers quand il pleut un peu, de l'herbe rousse?
De voir des blés, des blés, des épis pleins de grain,
De penser que cela prépare bien du pain?...
Oh! plus fort, on irait, au fourneau qui s'allume,
Chanter joyeusement en martelant l'enclume,
Si l'on était certain de pouvoir prendre un peu,
Etant homme, à la fin! de ce que donne Dieu!
— Mais voilà, c'est toujours la même vieille histoire!

« Mais je sais, maintenant! Moi, je ne peux plus croire,
Quand j'ai deux bonnes mains, mon front et mon marteau,
Qu'un homme vienne là, dague sur le manteau,
Et me dise : Mon gars, ensemence ma terre;
Que l'on arrive encor, quand ce serait la guerre,
Me prendre mon garçon comme cela, chez moi!
— Moi, je serais un homme, et toi, tu serais roi,
Tu me dirais : Je veux!... — Tu vois bien, c'est stupide.
Tu crois que j'aime voir ta baraque splendide,
Tes officiers dorés, tes mille chenapans,
Tes palsembleu bâtards tournant comme des paons :
Ils ont rempli ton nid de l'odeur de nos filles
Et de petits billets pour nous mettre aux Bastilles,
Et nous dirons : C'est bien : les pauvres à genoux!

Nous dorerons ton Louvre en donnant nos gros sous!
Et tu te soûleras,. tu feras belle fête,
— Et ces Messieurs riront, les reins sur notre tête!

« Non. Ces saletés-là datent de nos papas!
Oh! Le Peuple n'est plus une putain. Trois pas
Et, tous, nous avons mis ta Bastille en poussière.
Cette bête suait du sang à chaque pierre
Et c'était dégoûtant, la Bastille debout
Avec ses murs lépreux qui nous racontaient tout
Et, toujours, nous tenaient enfermés dans leur ombre!
— Citoyen! citoyen! c'était le passé sombre
Qui croulait, qui râlait, quand nous prîmes la tour!
Nous avions quelque chose au cœur comme l'amour.
Nous avions embrassé nos fils sur nos poitrines.
Et, comme des chevaux, en soufflant des narines
Nous allions, fiers et forts, et ça nous battait là...
Nous marchions au soleil, front haut, — comme cela, —
Dans Paris! On venait devant nos vestes sales.
Enfin! Nous nous sentions Hommes! Nous étions pâles,
Sire, nous étions soûls de terribles espoirs:
Et quand nous fûmes là, devant les donjons noirs,
Agitant nos clairons et nos feuilles de chêne,
Les piques à la main; nous n'eûmes pas de haine,
— Nous nous sentions si forts, nous voulions être doux!
.. ..
.. ..

« Et depuis ce jour-là, nous sommes comme fous!
Le tas des ouvriers a monté dans la rue,
Et ces maudits s'en vont, foule toujours accrue
De sombres revenants, aux portes des richards.
Moi, je cours avec eux assommer les mouchards :
Et je vais dans Paris, noir, marteau sur l'épaule,
Farouche, à chaque coin balayant quelque drôle,
Et, si tu me riais au nez, je te tuerais!
— Puis, tu peux y compter, tu te feras des frais
Avec tes hommes noirs, qui prennent nos requêtes
Pour se les renvoyer comme sur des raquettes
Et, tout bas, les malins! se disent : « Qu'ils sont sots! »
Pour mitonner des lois, coller de petits pots

Pleins de jolis décrets roses et de droguailles,
S'amuser à couper proprement quelques tailles,
Puis se boucher le nez quand nous marchons près d'eux.
— Nos doux représentants qui nous trouvent crasseux! —
Pour ne rien redouter, rien, que les baïonnettes...
C'est très bien. Foin de leur tabatière à sornettes!
Nous en avons assez, là, de ces cerveaux plats
Et de ces ventres-dieux. Ah! ce sont là les plats
Que tu nous sers, bourgeois, quand nous sommes féroces,
Quand nous brisons déjà les sceptres et les crosses!... »
. . . .

Il le prend par le bras, arrache le velours
Des rideaux, et lui montre en bas les larges cours
Où fourmille, où fourmille, où se lève la foule,
La foule épouvantable avec des bruits de houle,
Hurlant comme une chienne, hurlant comme une mer,
Avec ses bâtons forts et ses piques de fer,
Ses tambours, ses grands cris de halles et de bouges,
Tas sombre de haillons saignant de bonnets rouges :
L'Homme, par la fenêtre ouverte, montre tout
Au roi pâle et suant qui chancelle debout,
Malade à regarder cela!
                                        « C'est la Crapule,
Sire. Ça bave aux murs, ça monte, ça pullule :
— Puisqu'ils ne mangent pas, Sire, ce sont des gueux!
Je suis un forgeron : ma femme est avec eux,
Folle! Elle croit trouver du pain aux Tuileries!
— On ne veut pas de nous dans les boulangeries.
J'ai trois petits. Je suis crapule. — Je connais
Des vieilles qui s'en vont pleurant sous leurs bonnets
Parce qu'on leur a pris leur garçon ou leur fille :
C'est la crapule. — Un homme était à la Bastille,
Un autre était forçat : et tous deux, citoyens
Honnêtes. Libérés, ils sont comme des chiens :
On les insulte! Alors, ils ont là quelque chose
Qui leur fait mal, allez! C'est terrible, et c'est cause
Que se sentant brisés, que, se sentant damnés,
Ils sont là, maintenant, hurlant sous votre nez!
Crapule. — Là-dedans sont des filles, infâmes
Parce que, — vous saviez que c'est faible, les femmes, —
Messeigneurs de la cour, — que ça veut toujours bien, —

Vous [leur] avez craché sur l'âme, comme rien!
Vos belles, aujourd'hui, sont là. C'est la crapule.

. . . .

« Oh! tous les Malheureux, tous ceux dont le dos brûle
Sous le soleil féroce, et qui vont, et qui vont,
Qui dans ce travail-là sentent crever leur front...
Chapeau bas, mes bourgeois! Oh! ceux-là, sont les Hommes!
Nous sommes Ouvriers, Sire! Ouvriers! Nous sommes
Pour les grands temps nouveaux où l'on voudra savoir,
Où l'Homme forgera du matin jusqu'au soir,
Chasseur des grands effets, chasseur des grandes causes,
Où, lentement vainqueur, il domptera les choses
Et montera sur Tout, comme sur un cheval!
Oh! splendides lueurs des forges! Plus de mal,
Plus! — Ce qu'on ne sait pas, c'est peut-être terrible :
Nous saurons! — Nos marteaux en main, passons au crible
Tout ce que nous savons : puis, Frères, en avant!
Nous faisons quelquefois ce grand rêve émouvant
De vivre simplement, ardemment, sans rien dire
De mauvais, travaillant sous l'auguste sourire
D'une femme qu'on aime avec un noble amour :
Et l'on travaillerait fièrement tout le jour,
Ecoutant le devoir comme un clairon qui sonne :
Et l'on se sentirait très heureux; et personne,
Oh! personne, surtout, ne vous ferait ployer!
On aurait un fusil au-dessus du foyer...

. . . .

« Oh! mais l'air est tout plein d'une odeur de bataille.
Que te disais-je donc? Je suis de la canaille!
Il reste des mouchards et des accapareurs.
Nous sommes libres, nous! Nous avons des terreurs
Où nous nous sentons grands, oh! si grands! Tout à l'heure
Je parlais de devoir calme, d'une demeure...
Regarde donc le ciel! — C'est trop petit pour nous,
Nous crèverions de chaud, nous serions à genoux!
Regarde donc le ciel! — Je rentre dans la foule,
Dans la grande canaille effroyable, qui roule,
Sire, tes vieux canons sur les sales pavés :
— Oh! quand nous serons morts, nous les aurons lavés!

— Et si, devant nos cris, devant notre vengeance,
Les pattes des vieux rois mordorés, sur la France
Poussent leurs régiments en habits de gala,
Eh bien, n'est-ce pas, vous tous? Merde à ces chiens-là! »
.. ..

— Il reprit son marteau sur l'épaule.
                                        La foule
Près de cet homme-là se sentait l'âme soûle,
Et, dans la grande cour, dans les appartements,
Où Paris haletait avec des hurlements,
Un frisson secoua l'immense populace.
Alors, de sa main large et superbe de crasse,
Bien que le roi ventru suât, le Forgeron,
Terrible, lui jeta le bonnet rouge au front!

SOLEIL ET CHAIR

I

Le Soleil, le foyer de tendresse et de vie,
Verse l'amour brûlant à la terre ravie,
Et, quand on est couché sur la vallée, on sent
Que la terre est nubile et déborde de sang ;
Que son immense sein, soulevé par une âme,
Est d'amour comme Dieu, de chair comme la femme,
Et qu'il renferme, gros de sève et de rayons,
Le grand fourmillement de tous les embryons!

Et tout croît, et tout monte!

                            — O Vénus, ô Déesse!
Je regrette les temps de l'antique jeunesse,
Des satyres lascifs, des faunes animaux,
Dieux qui mordaient d'amour l'écorce des rameaux
Et dans les nénufars baisaient la Nymphe blonde!
Je regrette les temps où la sève du monde,
L'eau du fleuve, le sang rose des arbres verts
Dans les veines de Pan mettaient un univers!
Où le sol palpitait, vert, sous ses pieds de chèvre;
Où, baisant mollement le clair syrinx, sa lèvre

Modulait sous le ciel le grand hymne d'amour;
Où, debout sur la plaine, il entendait autour
Répondre à son appel la Nature vivante;
Où les arbres muets, berçant l'oiseau qui chante,
La terre berçant l'homme, et tout l'Océan bleu
Et tous les animaux aimaient, aimaient en Dieu!
Je regrette les temps de la grande Cybèle
Qu'on disait parcourir, gigantesquement belle,
Sur un grand char d'airain, les splendides cités;
Son double sein versait dans les immensités
Le pur ruissellement de la vie infinie.
L'Homme suçait, heureux, sa mamelle bénie,
Comme un petit enfant, jouant sur ses genoux.
— Parce qu'il était fort, l'Homme était chaste **et doux.**

Misère! Maintenant il dit : Je sais les choses,
Et va, les yeux fermés et les oreilles closes.
— Et pourtant, plus de dieux! plus de dieux! l'Homme
                                            [est Roi.
L'Homme est Dieu! Mais l'Amour, voilà la grande Foi!
Oh! si l'homme puisait encore à ta mamelle,
Grande mère des dieux et des hommes, Cybèle;
S'il n'avait pas laissé l'immortelle Astarté
Qui jadis, émergeant dans l'immense clarté
Des flots bleus, fleur de chair que la vague parfume,
Montra son nombril rose où vint neiger l'écume,
Et fit chanter, Déesse aux grands yeux noirs vainqueurs
Le rossignol aux bois et l'amour dans les cœurs!

II

Je crois en toi! je crois en toi! Divine mère,
Aphrodité marine! — Oh! la route est amère
Depuis que l'autre Dieu nous attelle à sa croix;
Chair, Marbre, Fleur, Vénus, c'est en toi que je crois!
— Oui, l'Homme est triste et laid, triste sous le ciel vaste.
Il a des vêtements, parce qu'il n'est plus chaste,
Parce qu'il a sali son fier buste de dieu,
Et qu'il a rabougri, comme une idole au feu,
Son corps Olympien aux servitudes sales!
Oui, même après la mort, dans les squelettes pâles
Il veut vivre, insultant la première beauté!

— Et l'Idole où tu mis tant de virginité,
Où tu divinisas notre argile, la Femme,
Afin que l'Homme pût éclairer sa pauvre âme
Et monter lentement, dans un immense amour,
De la prison terrestre à la beauté du jour,
La Femme ne sait plus même être courtisane!
— C'est une bonne farce! et le monde ricane
Au nom doux et sacré de la grande Vénus!

III

Si les temps revenaient, les temps qui sont venus!
— Car l'Homme a fini! l'Homme a joué tous les rôles!
Au grand jour, fatigué de briser des idoles
Il ressuscitera, libre de tous ses Dieux,
Et, comme il est du ciel, il scrutera les cieux!
L'Idéal, la pensée invincible, éternelle,
Tout; le dieu qui vit, sous son argile charnelle,
Montera, montera, brûlera sous son front!
Et quand tu le verras sonder tout l'horizon,
Contempteur des vieux jougs, libre de toute crainte,
Tu viendras lui donner la Rédemption sainte!
— Splendide, radieuse, au sein des grandes mers
Tu surgiras, jetant sur le vaste Univers
L'Amour infini dans un infini sourire!
Le Monde vibrera comme une immense lyre
Dans le frémissement d'un immense baiser!

— Le Monde a soif d'amour : tu viendras l'apaiser.
. . . .

O! L'Homme a relevé sa tête libre et fière!
Et le rayon soudain de la beauté première
Fait palpiter le dieu dans l'autel de la chair!
Heureux du bien présent, pâle du mal souffert,
L'Homme veut tout sonder, — et savoir! La Pensée,
La cavale longtemps, si longtemps oppressée
S'élance de son front! Elle saura Pourquoi!...
Qu'elle bondisse libre, et l'Homme aura la Foi!
— Pourquoi l'azur muet et l'espace insondable?
Pourquoi les astres d'or fourmillant comme un sable?
Si l'on montait toujours, que verrait-on là-haut?
Un Pasteur mène-t-il cet immense troupeau

De mondes cheminant dans l'horreur de l'espace,
Et tous ces mondes-là, que l'éther vaste embrasse,
Vibrent-ils aux accents d'une éternelle voix?
— Et l'Homme, peut-il voir? peut-il dire : Je crois?
La voix de la pensée est-elle plus qu'un rêve?
Si l'homme naît si tôt, si la vie est si brève,
D'où vient-il? Sombre-t-il dans l'Océan profond
Des Germes, des Fœtus, des Embryons, au fond
De l'immense Creuset d'où la Mère-Nature
Le ressuscitera, vivante créature,
Pour aimer dans la rose, et croître dans les blés?...

Nous ne pouvons savoir! — Nous sommes accablés
D'un manteau d'ignorance et d'étroites chimères!
Singes d'hommes tombés de la vulve des mères,
Notre pâle raison nous cache l'infini!
Nous voulons regarder : — le Doute nous punit!
Le doute, morne oiseau, nous frappe de son aile...
— Et l'horizon s'enfuit d'une fuite éternelle!...
.. ..

Le grand ciel est ouvert! les mystères sont morts
Devant l'Homme, debout, qui croise ses bras forts
Dans l'immense splendeur de la riche nature!
Il chante... et le bois chante, et le fleuve murmure
Un chant plein de bonheur qui monte vers le jour!...
— C'est la Rédemption! c'est l'amour! c'est l'amour!...
.. ..

IV

O splendeur de la chair! ô splendeur idéale!
O renouveau d'amour, aurore triomphale
Où, courbant à leurs pieds les Dieux et les Héros,
Kallipyge la blanche et le petit Eros
Effleureront, couverts de la neige des roses,
Les femmes et les fleurs sous leurs beaux pieds écloses!
— O grande Ariadné, qui jettes tes sanglots
Sur la rive, en voyant fuir là-bas sur les flots,
Blanche sous le soleil, la voile de Thésée,
O douce vierge enfant qu'une nuit a brisée,

Tais-toi! Sur son char d'or brodé de noirs raisins,
Lysios, promené dans les champs Phrygiens
Par les tigres lascifs et les panthères rousses,
Le long des fleuves bleus rougit les sombres mousses.
— Zeus, Taureau, sur son cou berce comme une enfant
Le corps nu d'Europé, qui jette son bras blanc
Au cou nerveux du Dieu frissonnant dans la vague.
Il tourne lentement vers elle son œil vague;
Elle, laisse traîner sa pâle joue en fleur
Au front de Zeus; ses yeux sont fermés; elle meurt
Dans un divin baiser, et le flot qui murmure
De son écume d'or fleurit sa chevelure.
— Entre le laurier-rose et le lotus jaseur
Glisse amoureusement le grand Cygne rêveur
Embrassant la Léda des blancheurs de son aile;
— Et tandis que Cypris passe, étrangement belle,
Et, cambrant les rondeurs splendides de ses reins,
Etale fièrement l'or de ses larges seins
Et son ventre neigeux brodé de mousse noire,
— Héraclès, le Dompteur, qui, comme d'une gloire,
Fort, ceint son vaste corps de la peau du lion,
S'avance, front terrible et doux, à l'horizon!

Par la lune d'été vaguement éclairée,
Debout, nue, et rêvant dans sa pâleur dorée
Que tache le flot lourd de ses longs cheveux bleus,
Dans la clairière sombre où la mousse s'étoile,
La Dryade regarde au ciel silencieux...
— La blanche Séléné laisse flotter son voile,
Craintive, sur les pieds du bel Endymion,
Et lui jette un baiser dans un pâle rayon...
— La Source pleure au loin dans une longue extase...
C'est la Nymphe qui rêve, un coude sur son vase,
Au beau jeune homme blanc que son onde a pressé.
— Une brise d'amour dans la nuit a passé,
Et, dans les bois sacrés, dans l'horreur des grands arbres,
Majestueusement debout, les sombres Marbres,
Les Dieux, au front desquels le Bouvreuil fait son nid,
— Les Dieux écoutent l'Homme et le Monde infini!

29 avril 1870

OPHÉLIE

I

Sur l'onde calme et noire où dorment les étoiles
La blanche Ophélia flotte comme un grand lys,
Flotte très lentement, couchée en ses longs voiles...
— On entend dans les bois lointains des hallalis.

Voici plus de mille ans que la triste Ophélie
Passe, fantôme blanc, sur le long fleuve noir.
Voici plus de mille ans que sa douce folie
Murmure sa romance à la brise du soir.

Le vent baise ses seins et déploie en corolle
Ses grands voiles bercés mollement par les eaux;
Les saules frissonnants pleurent sur son épaule,
Sur son grand front rêveur s'inclinent les roseaux.

Les nénuphars froissés soupirent autour d'elle;
Elle éveille parfois, dans un aune qui dort,
Quelque nid, d'où s'échappe un petit frisson d'aile :
— Un chant mystérieux tombe des astres d'or.

II

O pâle Ophélia! belle comme la neige!
Oui tu mourus, enfant, par un fleuve emporté!
— C'est que les vents tombant des grands monts de
T'avaient parlé tout bas de l'âpre liberté;   [Norwège

C'est qu'un souffle, tordant ta grande chevelure,
A ton esprit rêveur portait d'étranges bruits;
Que ton cœur écoutait le chant de la Nature
Dans les plaintes de l'arbre et les soupirs des nuits;

C'est que la voix des mers folles, immense râle,
Brisait ton sein d'enfant, trop humain et trop doux;
C'est qu'un matin d'avril, un beau cavalier pâle,
Un pauvre fou, s'assit muet à tes genoux!

Ciel! Amour! Liberté! Quel rêve, ô pauvre Folle!
Tu te fondais à lui comme une neige au feu;
Tes grandes visions étranglaient ta parole
— Et l'Infini terrible effara ton œil bleu!

III

— Et le Poète dit qu'aux rayons des étoiles
Tu viens chercher, la nuit, les fleurs que tu cueillis,
Et qu'il a vu sur l'eau, couchée en ses longs voiles,
La blanche Ophélia flotter, comme un grand lys.

15 mai 1870.

BAL DES PENDUS

Au gibet noir, manchot aimable,
Dansent, dansent les paladins,
Les maigres paladins du diable,
Les squelettes de Saladins.

Messire Belzébuth tire par la cravate
Ses petits pantins noirs grimaçant sur le ciel,
Et, leur claquant au front un revers de savate,
Les fait danser, danser aux sons d'un vieux Noël!

Et les pantins choqués enlacent leurs bras grêles :
Comme des orgues noirs, les poitrines à jour
Que serraient autrefois les gentes damoiselles,
Se heurtent longuement dans un hideux amour.

Hurrah! les gais danseurs, qui n'avez plus de panse!
On peut cabrioler, les tréteaux sont si longs!
Hop! qu'on ne sache plus si c'est bataille ou danse!
Belzébuth enragé racle ses violons!

O durs talons, jamais on n'use sa sandale!
Presque tous ont quitté la chemise de peau;
Le reste est peu gênant et se voit sans scandale.
Sur les crânes, la neige applique un blanc chapeau :

Le corbeau fait panache à ces têtes fêlées,
Un morceau de chair tremble à leur maigre menton :
On dirait, tournoyant dans les sombres mêlées,
Des preux, raides, heurtant armures de carton.

Hurrah! la bise siffle au grand bal des squelettes!
Le gibet noir mugit comme un orgue de fer!
Les loups vont répondant des forêts violettes :
A l'horizon, le ciel est d'un rouge d'enfer...

Holà, secouez-moi ces capitans funèbres
Qui défilent, sournois, de leurs gros doigts cassés
Un chapelet d'amour sur leurs pâles vertèbres :
Ce n'est pas un moustier ici, les trépassés!

Oh! voilà qu'au milieu de la danse macabre
Bondit dans le ciel rouge un grand squelette fou
Emporté par l'élan, comme un cheval se cabre :
Et, se sentant encor la corde raide au cou,

Crispe ses petits doigts sur son fémur qui craque
Avec des cris pareils à des ricanements,
Et, comme un baladin rentre dans la baraque,
Rebondit dans le bal au chant des ossements.

       Au gibet noir, manchot aimable,
       Dansent, dansent les paladins,
       Les maigres paladins du diable,
       Les squelettes de Saladins.

LE CHATIMENT DE TARTUFE

TISONNANT, tisonnant son cœur amoureux sous
Sa chaste robe noire, heureux, la main gantée,
Un jour qu'il s'en allait, effroyablement doux,
Jaune, bavant la foi de sa bouche édentée,

Un jour qu'il s'en allait, « Oremus ». — un Méchant
Le prit rudement par son oreille benoîte
Et lui jeta des mots affreux, en arrachant
Sa chaste robe noire autour de sa peau moite!

Châtiment!... Ses habits étaient déboutonnés,
Et le long chapelet des péchés pardonnés
S'égrenant dans son cœur, Saint Tartufe était pâle!...

Donc, il se confessait, priait, avec un râle!
L'homme se contenta d'emporter ses rabats...
— Peuh! Tartufe était nu du haut jusques en bas!

VÉNUS ANADYOMÈNE

COMME d'un cercueil vert en fer blanc, une tête
De femme à cheveux bruns fortement pommadés
D'une vieille baignoire émerge, lente et bête,
Avec des déficits assez mal ravaudés;

Puis le col gras et gris, les larges omoplates
Qui saillent; le dos court qui rentre et qui ressort;
Puis les rondeurs des reins semblent prendre l'essor;
La graisse sous la peau paraît en feuilles plates;

L'échine est un peu rouge, et le tout sent un goût
Horrible étrangement; on remarque surtout
Des singularités qu'il faut voir à la loupe...

Les reins portent deux mots gravés : CLARA VENUS;
— Et tout ce corps remue et tend sa large croupe
Belle hideusement d'un ulcère à l'anus.

27 juillet 1870

PREMIÈRE SOIRÉE

— ELLE était fort déshabillée
Et de grands arbres indiscrets
Aux vitres jetaient leur feuillée
Malinement, tout près, tout près.

Assise sur ma grande chaise,
Mi-nue, elle joignait les mains

Sur le plancher frissonnaient d'aise
Ses petits pieds si fins, si fins.

— Je regardai, couleur de cire,
Un petit rayon buissonnier
Papillonner dans son sourire
Et sur son sein, — mouche au rosier.

— Je baisai ses fines chevilles.
Elle eut un doux rire brutal
Qui s'égrenait en claires trilles,
Un joli rire de cristal.

Les petits pieds sous la chemise
Se sauvèrent : « Veux-tu finir! »
— La première audace permise,
Le rire feignait de punir!

— Pauvrets palpitants sous ma lèvre,
Je baisai doucement ses yeux :
— Elle jeta sa tête mièvre
En arrière : « Oh! c'est encor mieux!...

« Monsieur, j'ai deux mots à te dire... »
— Je lui jetai le reste au sein
Dans un baiser, qui la fit rire
D'un bon rire qui voulait bien...

— Elle était fort déshabillée
Et de grands arbres indiscrets
Aux vitres jetaient leur feuillée
Malinement, tout près, tout près.

LES RÉPARTIES DE NINA

· · · ·   ·

LUI. — Ta poitrine sur ma poitrine,
      Hein? Nous irions,
Ayant de l'air plein la narine,
      Aux frais rayons

Du bon matin bleu, qui vous baigne
  Du vin de jour?...
Quand tout le bois frissonnant saigne
  Muet d'amour

De chaque branche, gouttes vertes,
  Des bourgeons clairs,
On sent dans les choses ouvertes
  Frémir des chairs :

Tu plongerais dans la luzerne
  Ton blanc peignoir,
Rosant à l'air ce bleu qui cerne
  Ton grand œil noir,

Amoureuse de la campagne,
  Semant partout,
Comme une mousse de champagne,
  Ton rire fou :

Riant à moi, brutal d'ivresse,
  Qui te prendrais
Comme cela, — la belle tresse,
  Oh! — qui boirais

Ton goût de framboise et de fraise,
  O chair de fleur!
Riant au vent vif qui te baise
  Comme un voleur,

Au rose églantier qui t'embête
  Aimablement :
Riant surtout, ô folle tête,
  A ton amant!...

· · · · · · · · · · ·   · · · · · · · · · · · · · · · · · ·

Dix-sept ans! Tu seras heureuse!
  Oh! les grands prés,
La grande campagne amoureuse!
  — Dis, viens plus près!...

— Ta poitrine sur ma poitrine,
  Mêlant nos voix,

Lents, nous gagnerions la ravine,
        Puis les grands bois!...

Puis, comme une petite morte,
        Le cœur pâmé,
Tu me dirais que je te porte,
        L'œil mi-fermé...

Je te porterais, palpitante,
        Dans le sentier :
L'oiseau filerait son andante :
        Au Noisetier...

Je te parlerais dans ta bouche;
        J'irais, pressant
Ton corps, comme une enfant qu'on couche,
        Ivre du sang

Qui coule, bleu, sous ta peau blanche
        Aux tons rosés :
Et te parlant la langue franche...
        Tiens!... — que tu sais...

Nos grands bois sentiraient la sève,
        Et le soleil
Sablerait d'or fin leur grand rêve
        Vert et vermeil.

.. ..

Le soir?... Nous reprendrons la route
        Blanche qui court,
Flânant, comme un troupeau qui broute,
        Tout à l'entour

Les bons vergers à l'herbe bleue,
        Aux pommiers tors!
Comme on les sent toute une lieue
        Leurs parfums forts!

Nous regagnerons le village
        Au ciel mi-noir;
Et ça sentira le laitage
        Dans l'air du soir;

Ça sentira l'étable, pleine
    De fumiers chauds,
Pleine d'un lent rhythme d'haleine,
    Et de grands dos

Blanchissant sous quelque lumière;
    Et, tout là-bas,
Une vache fientera. fière,
    A chaque pas...

— Les lunettes de la grand'mère
    Et son nez long
Dans son missel; le pot de bière
    Cerclé de plomb,

Moussant entre les larges pipes
    Qui, crânement,
Fument : les effroyables lippes
    Qui, tout fumant,

Happent le jambon aux fourchettes
    Tant, tant et plus :
Le feu qui claire les couchettes
    Et les bahuts.

Les fesses luisantes et grasses
    D'un gros enfant
Qui fourre, à genoux, dans les tasses,
    Son museau blanc

Frôlé par un mufle qui gronde
    D'un ton gentil,
Et pourlèche la face ronde
    Du cher petit...

Noire, rogue au bord de sa chaise,
    Affreux profil,
Une vieille devant la braise
    Qui fait du fil;

Que de choses verrons-nous, chère,
    Dans ces taudis,
Quand la flamme illumine, claire,
    Les carreaux gris!...

> — Puis, petite et toute nichée
>> Dans les lilas
> Noirs et frais : la vitre cachée,
>> Qui rit là-bas...

> Tu viendras, tu viendras, je. t'aime!
>> Ce sera beau.
> Tu viendras, n'est-ce pas, et même...

ELLE. — *Et mon bureau?*

15 août 1870.

A LA MUSIQUE

Place de la Gare, à Charleville.

SUR la place taillée en mesquines pelouses,
Square où tout est correct, les arbres et les fleurs,
Tous les bourgeois poussifs qu'étranglent les chaleurs
Portent, les jeudis soirs, leurs bêtises jalouses.

— L'orchestre militaire, au milieu du jardin,
Balance ses schakos dans la *Valse des fifres :*
— Autour, aux premiers rangs, parade le gandin;
Le notaire pend à ses breloques à chiffres.

Des rentiers à lorgnons soulignent tous les couacs :
Les gros bureaux bouffis traînent leurs grosses dames
Auprès desquelles vont, officieux cornacs,
Celles dont les volants ont des airs de réclames;

Sur les bancs verts, des clubs d'épiciers retraités
Qui tisonnent le sable avec leur canne à pomme,
Fort sérieusement discutent les traités,
Puis prisent en argent, et reprennent : « En somme!... »

Epatant sur son banc les rondeurs de ses reins,
Un bourgeois à boutons clairs, bedaine flamande,
Savoure son onnaing d'où le tabac par brins
Déborde — vous savez, c'est de la contrebande; —

Le long des gazons verts ricanent les voyous;
Et, rendus amoureux par le chant des trombones,

34

Très naïfs, et fumant des roses, les pioupious
Caressent les bébés pour enjôler les bonnes...

— Moi, je suis, débraillé comme un étudiant,
Sous les marronniers verts les alertes fillettes :
Elles le savent bien; et tournent en riant,
Vers moi, leurs yeux tout pleins de choses indiscrètes.

Je ne dis pas un mot : je regarde toujours
La chair de leurs cous blancs brodés de mèches folles :
Je suis, sous le corsage et les frêles atours,
Le dos divin après la courbe des épaules.

J'ai bientôt déniché la bottine, le bas...
— Je reconstruis les corps, brûlé de belles fièvres.
Elles me trouvent drôle et se parlent tout bas...
— Et mes désirs brutaux s'accrochent à leurs lèvres...

> « ... Français de soixante-dix,
> bonapartistes, républicains, souve-
> nez-vous de vos pères en 92, etc. »
> PAUL DE CASSAGNAC.
> (Le Pays.)

MORTS de Quatre-vingt-douze et de Quatre-vingt-treize,
Qui, pâles du baiser fort de la liberté,
Calmes, sous vos sabots, brisiez le joug qui pèse
Sur l'âme et sur le front de toute humanité;

Hommes extasiés et grands dans la tourmente,
Vous dont les cœurs sautaient d'amour sous les haillons,
O Soldats que la Mort a semés, noble Amante,
Pour les régénérer, dans tous les vieux sillons;

Vous dont le sang lavait toute grandeur salie,
Morts de Valmy, Morts de Fleurus, Morts d'Italie,
O million de Christs aux yeux sombres et doux;

Nous vous laissions dormir avec la République,
Nous, courbés sous les rois comme sous une trique.
— Messieurs de Cassagnac nous reparlent de vous!

Fait à Mazas, 3 septembre 1870.

35

LES EFFARÉS

Noirs dans la neige et dans la brume,
Au grand soupirail qui s'allume,
   Leurs culs en rond,

A genoux, cinq petits, — misère! —
Regardent le Boulanger faire
   Le lourd pain blond.

Ils voient le fort bras blanc qui tourne
La pâte grise et qui l'enfourne
   Dans un trou clair.

Ils écoutent le bon pain cuire.
Le Boulanger au gras sourire
   Grogne un vieil air.

Ils sont blottis, pas un ne bouge,
Au souffle du soupirail rouge
   Chaud comme un sein.

Quand pour quelque médianoche,
Façonné comme une brioche
   On sort le pain,

Quand, sous les poutres enfumées,
Chantent les croûtes parfumées
   Et les grillons,

Que ce trou chaud souffle la vie,
Ils ont leur âme si ravie
   Sous leurs haillons,

Ils se ressentent si bien vivre,
Les pauvres Jésus pleins de givre,
   Qu'ils sont là tous,

Collant leurs petits museaux roses
Au treillage, grognant des choses
   Entre les trous,

Tout bêtes, faisant leurs prières
Et repliés vers ces lumières
   Du ciel rouvert,

Si fort, qu'ils crèvent leur culotte
Et que leur chemise tremblotte
        Au vent d'hiver.

                                    20 sept. 70.

ROMAN

I

ON n'est pas sérieux, quand on a dix-sept ans.
— Un beau soir, foin des bocks et de la limonade,
Des cafés tapageurs aux lustres éclatants!
— On va sous les tilleuls verts de la promenade.

Les tilleuls sentent bon dans les bons soirs de juin!
L'air est parfois si doux, qu'on ferme la paupière;
Le vent chargé de bruits, — la ville n'est pas loin, —
A des parfums de vigne et des parfums de bière...

II

— Voilà qu'on aperçoit un tout petit chiffon
D'azur sombre, encadré d'une petite branche,
Piqué d'une mauvaise étoile, qui se fond
Avec de doux frissons, petite et toute blanche...

Nuit de juin! Dix-sept ans! — On se laisse griser.
La sève est du champagne et vous monte à la tête...
On divague; on se sent aux lèvres un baiser
Qui palpite là, comme une petite bête...

III

Le cœur fou Robinsonne à travers les romans,
— Lorsque, dans la clarté d'un pâle réverbère,
Passe une demoiselle aux petits airs charmants,
Sous l'ombre du faux-col effrayant de son père...

Et, comme elle vous trouve immensément naïf
Tout en faisant trotter ses petites bottines,

Elle se tourne, alerte et d'un mouvement vif...
— Sur vos lèvres alors meurent les cavatines...

IV

Vous êtes amoureux. Loué jusqu'au mois d'août.
Vous êtes amoureux. — Vos sonnets La font rire.
Tous vos amis s'en vont, vous êtes mauvais goût.
— Puis l'adorée, un soir, a daigné vous écrire!...

— Ce soir-là,... — vous rentrez aux cafés éclatants,
Vous demandez des bocks ou de la limonade...
— On n'est pas sérieux, quand on a dix-sept ans
Et qu'on a des tilleuls verts sur la promenade.

23 septembre 70.

LE MAL

TANDIS que les crachats rouges de la mitraille
Sifflent tout le jour par l'infini du ciel bleu;
Qu'écarlates ou verts, près du Roi qui les raille,
Croulent les bataillons en masse dans le feu;

Tandis qu'une folie épouvantable broie
Et fait de cent milliers d'hommes un tas fumant;
— Pauvres morts! dans l'été, dans l'herbe, dans ta joie,
Nature! ô toi qui fis ces hommes saintement!... —

— Il est un Dieu, qui rit aux nappes damassées
Des autels, à l'encens, aux grands calices d'or;
Qui dans le bercement des hosannah s'endort,

Et se réveille, quand des mères, ramassées
Dans l'angoisse, et pleurant sous leur vieux bonnet noir,
Lui donnent un gros sou lié dans leur mouchoir!

RAGES DE CÉSARS

L'HOMME pâle, le long des pelouses fleuries,
Chemine, en habit noir, et le cigare aux dents :

L'Homme pâle repense aux fleurs des Tuileries
— Et parfois son œil terne a des regards ardents...

Car l'Empereur est soûl de ses vingt ans d'orgie!
Il s'était dit : « Je vais souffler la Liberté
Bien délicatement, ainsi qu'une bougie! »
La Liberté revit! Il se sent éreinté!

Il est pris. — Oh! quel nom sur ses lèvres muettes
Tressaille? Quel regret implacable le mord?
On ne le saura pas. L'Empereur a l'œil mort.

Il repense peut-être au Compère en lunettes...
— Et regarde filer de son cigare en feu,
Comme aux soirs de Saint-Cloud, un fin nuage bleu.

RÊVÉ POUR L'HIVER

A*** Elle

L'HIVER, nous irons dans un petit wagon rose
      Avec des coussins bleus.
Nous serons bien. Un nid de baisers fous repose
      Dans chaque coin moelleux.

Tu fermeras l'œil, pour ne point voir, par la glace,
      Grimacer les ombres des soirs,
Ces monstruosités hargneuses, populace
      De démons noirs et de loups noirs.

Puis tu te sentiras la joue égratignée...
Un petit baiser, comme une folle araignée,
      Te courra par le cou...

Et tu me diras : « Cherche! » en inclinant la tête,
— Et nous prendrons du temps à trouver cette bête
      — Qui voyage beaucoup...

En wagon, le 7 octobre 70.

LE DORMEUR DU VAL

C'est un trou de verdure où chante une rivière
Accrochant follement aux herbes des haillons
D'argent; où le soleil, de la montagne fière,
Luit : c'est un petit val qui mousse de rayons.

Un soldat jeune, bouche ouverte, tête nue,
Et la nuque baignant dans le frais cresson bleu,
Dort; il est étendu dans l'herbe, sous la nue,
Pâle dans son lit vert où la lumière pleut.

Les pieds dans les glaïeuls, il dort. Souriant comme
Sourirait un enfant malade, il fait un somme :
Nature, berce-le chaudement : il a froid.

Les parfums ne font pas frissonner sa narine;
Il dort dans le soleil, la main sur sa poitrine
Tranquille. Il a deux trous rouges au côté droit.

Octobre 70.

AU CABARET-VERT

Cinq heures du soir.

Depuis huit jours, j'avais déchiré mes bottines
Aux cailloux des chemins. J'entrais à Charleroi.
— *Au Cabaret-Vert* : je demandai des tartines
De beurre et du jambon qui fût à moitié froid.

Bienheureux, j'allongeai les jambes sous la table
Verte : je contemplai les sujets très naïfs
De la tapisserie. — Et ce fut adorable,
Quand la fille aux tétons énormes, aux yeux vifs,

— Celle-là, ce n'est pas un baiser qui l'épeure! —
Rieuse, m'apporta des tartines de beurre,
Du jambon tiède, dans un plat colorié,

Du jambon rose et blanc parfumé d'une gousse
D'ail, — et m'emplit la chope immense, avec sa mousse
Que dorait un rayon de soleil arriéré.

Octobre 70.

LA MALINE

Dans la salle à manger brune, que parfumait
Une odeur de vernis et de fruits, à mon aise
Je ramassais un plat de je ne sais quel met
Belge, et je m'épatais dans mon immense chaise.

En mangeant, j'écoutais l'horloge, — heureux et coi.
La cuisine s'ouvrit avec une bouffée,
— Et la servante vint, je ne sais pas pourquoi,
Fichu moitié défait, malinement coiffée

Et, tout en promenant son petit doigt tremblant
Sur sa joue, un velours de pêche rose et blanc,
En faisant, de sa lèvre enfantine, une moue,

Elle arrangeait les plats, près de moi, pour m'aiser;
— Puis, comme ça, — bien sûr, pour avoir un baiser, —
Tout bas : « Sens donc : j'ai pris *une* froid sur la joue... »

Charleroi, octobre 70.

L'ÉCLATANTE VICTOIRE DE SARREBRUCK

remportée aux cris de Vive l'Empereur!

*(Gravure belge brillamment coloriée,
se vend à Charleroi, 35 centimes.)*

Au milieu, l'Empereur, dans une apothéose
Bleue et jaune, s'en va, raide, sur son dada
Flamboyant; très heureux, — car il voit tout en rose,
Féroce comme Zeus et doux comme un papa;

41

En bas, les bons Pioupious qui faisaient la sieste
Près des tambours dorés et des rouges canons,
Se lèvent gentiment. Pitou remet sa veste,
Et, tourné vers le Chef, s'étourdit de grands noms!

A droite, Dumanet, appuyé sur la crosse
De son chassepot, sent frémir sa nuque en brosse,
Et : « Vive l'Empereur! » — Son voisin reste coi...

Un schako surgit, comme un soleil noir... — Au centre,
Boquillon rouge et bleu, très naïf, sur son ventre
Se dresse, et, — présentant ses derrières — : « De quoi?... »

Octobre 70.

LE BUFFET

C'EST un large buffet sculpté; le chêne sombre,
Très vieux, a pris cet air si bon des vieilles gens;
Le buffet est ouvert, et verse dans son ombre
Comme un flot de vin vieux, des parfums engageants;

Tout plein, c'est un fouillis de vieilles vieilleries,
De linges odorants et jaunes, de chiffons
De femmes ou d'enfants, de dentelles flétries,
De fichus de grand'mère où sont peints des griffons;

— C'est là qu'on trouverait les médaillons, les mèches
De cheveux blancs ou blonds, les portraits, les fleurs sèches
Dont le parfum se mêle à des parfums de fruits.

— O buffet du vieux temps, tu sais bien des histoires,
Et tu voudrais conter tes contes, et tu bruis
Quand s'ouvrent lentement tes grandes portes noires.

Octobre 70.

MA BOHÈME

(Fantaisie)

Je m'en allais, les poings dans mes poches crevées;
Mon paletot aussi devenait idéal;
J'allais sous le ciel, Muse! et j'étais ton féal;
Oh! là là! que d'amours splendides j'ai rêvées!

Mon unique culotte avait un large trou.
— Petit-Poucet rêveur, j'égrenais dans ma course
Des rimes. Mon auberge était à la Grande-Ourse.
— Mes étoiles au ciel avaient un doux frou-frou.

Et je les écoutais, assis au bord des routes,
Ces bons soirs de septembre où je sentais des gouttes
De rosée à mon front, comme un vin de vigueur;

Où, rimant au milieu des ombres fantastiques,
Comme des lyres, je tirais les élastiques
De mes souliers blessés, un pied près de mon cœur!

TÊTE DE FAUNE

Dans la feuillée, écrin vert taché d'or,
Dans la feuillée incertaine et fleurie
De fleurs splendides où le baiser dort,
Vif et crevant l'exquise broderie,

Un faune effaré montre ses deux yeux
Et mord les fleurs rouges de ses dents blanches.
Brunie et sanglante ainsi qu'un vin vieux,
Sa lèvre éclate en rires sous les branches.

Et quand il a fui — tel qu'un écureuil —
Son rire tremble encore à chaque feuille,
Et l'on voit épeuré par un bouvreuil
Le Baiser d'or du Bois, qui se recueille.

LES ASSIS

Noirs de loupes, grêlés, les yeux cerclés de bagues
Vertes, leurs doigts boulus crispés à leurs fémurs,
Le sinciput plaqué de hargnosités vagues
Comme les floraisons lépreuses des vieux murs;

Ils ont greffé dans des amours épileptiques
Leur fantasque ossature aux grands squelettes noirs
De leurs chaises; leurs pieds aux barreaux rachitiques
S'entrelacent pour les matins et pour les soirs!

Ces vieillards ont toujours fait tresse avec leurs sièges
Sentant les soleils vifs percaliser leur peau,
Ou, les yeux à la vitre où se fanent les neiges,
Tremblant du tremblement douloureux du crapaud.

Et les Sièges leur ont des bontés : culottée
De brun, la paille cède aux angles de leurs reins ;
L'âme des vieux soleils s'allume, emmaillotée
Dans ces tresses d'épis où fermentaient les grains.

Et les Assis, genoux aux dents, verts pianistes,
Les dix doigts sous leur siège aux rumeurs de tambour,
S'écoutent clapoter des barcarolles tristes,
Et leurs caboches vont dans des roulis d'amour.

— Oh! ne les faites pas lever! C'est le naufrage...
Ils surgissent, grondant comme des chats giflés,
Ouvrant lentement leurs omoplates, ô rage!
Tout leur pantalon bouffe à leurs reins boursouflés.

Et vous les écoutez, cognant leurs têtes chauves
Aux murs sombres, plaquant et plaquant leurs pieds tors,
Et leurs boutons d'habit sont des prunelles fauves
Qui vous accrochent l'œil du fond des corridors!

Puis ils ont une main invisible qui tue :
Au retour, leur regard filtre ce venin noir
Qui charge l'œil souffrant de la chienne battue,
Et vous suez, pris dans un atroce entonnoir.

Rassis, les poings noyés dans des manchettes sales,
Ils songent à ceux-là qui les ont fait lever

Et, de l'aurore au soir, des grappes d'amygdales
Sous leurs mentons chétifs s'agitent à crever.

Quand l'austère sommeil a baissé leurs visières,
Ils rêvent sur leur bras de sièges fécondés,
De vrais petits amours de chaises en lisières
Par lesquelles de fiers bureaux seront bordés;

Des fleurs d'encre crachant des pollens en virgule
Les bercent, le long des calices accroupis
Tels qu'au fil des glaïeuls le vol des libellules
— Et leur membre s'agace à des barbes d'épis.

LES DOUANIERS

Ceux qui disent : Cré Nom, ceux qui disent macache,
Soldats, marins, débris d'Empire, retraités,
Sont nuls, très nuls, devant les Soldats des Traités
Qui tailladent l'azur frontière à grands coups d'hache.

Pipe aux dents, lame en main, profonds, pas embêtés,
Quand l'ombre bave aux bois comme un mufle de vache,
Ils s'en vont, amenant leurs dogues à l'attache,
Exercer nuitamment leurs terribles gaîtés!

Ils signalent aux lois modernes les faunesses.
Ils empoignent les Fausts et les Diavolos.
« Pas de ça, les anciens! Déposez les ballots! »

Quand sa sérénité s'approche des jeunesses,
Le Douanier se tient aux appas contrôlés!
Enfer aux Délinquants que sa paume a frôlés!

ORAISON DU SOIR

Je vis assis, tel qu'un ange aux mains d'un barbier,
Empoignant une chope à fortes cannelures,
L'hypogastre et le col cambrés, une Gambier
Aux dents, sous l'air gonflé d'impalpables voilures.

Tels que les excréments chauds d'un vieux colombier,
Mille Rêves en moi font de douces brûlures :
Puis par instants mon cœur triste est comme un aubier
Qu'ensanglante l'or jeune et sombre des coulures.

Puis, quand j'ai ravalé mes rêves avec soin,
Je me tourne, ayant bu trente ou quarante chopes,
Et me recueille, pour lâcher l'âcre besoin :

Doux comme le Seigneur du cèdre et des hysopes,
Je pisse vers les cieux bruns, très haut et très loin,
Avec l'assentiment des grands héliotropes.

LE CŒUR VOLÉ

Mon triste cœur bave à la poupe,
Mon cœur couvert de caporal :
Ils y lancent des jets de soupe,
Mon triste cœur bave à la poupe :
Sous les quolibets de la troupe
Qui pousse un rire général,
Mon triste cœur bave à la poupe,
Mon cœur couvert de caporal!

Ithyphalliques et pioupiesques,
Leurs quolibets l'ont dépravé!
Au gouvernail on voit des fresques
Ithyphalliques et pioupiesques.
O flots abracadabrantesques,
Prenez mon cœur, qu'il soit lavé!
Ithyphalliques et pioupiesques,
Leurs quolibets l'ont dépravé!

Quand ils auront tari leurs chiques,
Comment agir, ô cœur volé?
Ce seront des hoquets bachiques :
Quand ils auront tari leurs chiques :
J'aurai des sursauts stomachiques,
Moi, si mon cœur est ravalé :
Quand ils auront tari leurs chiques,
Comment agir, ô cœur volé?

Mai 1871.

46

CHANT DE GUERRE PARISIEN

Le printemps est évident, car
Du cœur des Propriétés vertes,
Le vol de Thiers et de Picard
Tient ses splendeurs grandes ouvertes!

O Mai! quels délirants culs-nus!
Sèvres, Meudon, Bagneux, Asnières,
Ecoutez donc les bienvenus
Semer les choses printanières!

Ils ont schako, sabre et tam-tam,
Non la vieille boîte à bougies,
Et des yoles qui n'ont jam, jam...
Fendent le lac aux eaux rougies!

Plus que jamais nous bambochons
Quand viennent sur nos fourmilières
Crouler les jaunes cabochons
Dans des aubes particulières!

Thiers et Picard sont des Eros,
Des enleveurs d'héliotropes,
Au pétrole ils font des Corots :
Voici hannetonner leurs tropes...

Ils sont familiers du Grand Truc!...
Et couché dans les glaïeuls, Favre
Fait son cillement aqueduc,
Et ses reniflements à poivre!

La grand ville a le pavé chaud
Malgré vos douches de pétrole,
Et décidément, il nous faut
Vous secouer dans votre rôle...

Et les Ruraux qui se prélassent
Dans de longs accroupissements,
Entendront des rameaux qui cassent
Parmi les rouges froissements!

MES PETITES AMOUREUSES

Un hydrolat lacrymal lave
    Les cieux vert-chou :
Sous l'arbre tendronnier qui bave,
    Vos caoutchoucs

Blancs de lunes particulières
    Aux pialats ronds,
Entrechoquez vos genouillères,
    Mes laiderons!

Nous nous aimions à cette époque,
    Bleu laideron!
On mangeait des œufs à la coque
    Et du mouron!

Un soir, tu me sacras poète,
    Blond laideron :
Descends ici, que je te fouette
    En mon giron;

J'ai dégueulé ta bandoline,
    Noir laideron;
Tu couperais ma mandoline
    Au fil du front.

Pouah! mes salives desséchées,
    Roux laideron,
Infectent encor les tranchées
    De ton sein rond!

O mes petites amoureuses,
    Que je vous hais!
Plaquez de fouffes douloureuses
    Vos tétons laids!

Piétinez mes vieilles terrines
    De sentiment;
— Hop donc! soyez-moi ballerines
    Pour un moment!...

Vos omoplates se déboîtent,
    O mes amours!
Une étoile à vos reins qui boitent
    Tournez vos tours.

Et c'est pourtant pour ces éclanches
    Que j'ai rimé!
Je voudrais vous casser les hanches
    D'avoir aimé!

Fade amas d'étoiles ratées,
    Comblez les coins!
— Vous crèverez en Dieu, bâtées
    D'ignobles soins!

Sous les lunes particulières
    Aux pialats ronds,
Entrechoquez vos genouillères,
    Mes laiderons!

ACCROUPISSEMENTS

BIEN tard, quand il se sent l'estomac écœuré,
Le frère Milotus, un œil à la lucarne
D'où le soleil, clair comme un chaudron récuré,
Lui darde une migraine et fait son regard darne,
Déplace dans les draps son ventre de curé.

Il se démène sous sa couverture grise
Et descend, ses genoux à son ventre tremblant,
Effaré comme un vieux qui mangerait sa prise;
Car il lui faut, le poing à l'anse d'un pot blanc,
A ses reins largement retrousser sa chemise!

Or, il s'est accroupi, frileux, les doigts de pied
Repliés, grelottant au clair soleil qui plaque
Des jaunes de brioche aux vitres de papier;
Et le nez du bonhomme où s'allume la laque
Renifle aux rayons, tel qu'un charnel polypier.

. . . .

Le bonhomme mijote au feu, bras tordus, lippe
Au ventre : il sent glisser ses cuisses dans le feu,
Et ses chausses roussir, et s'éteindre sa pipe;
Quelque chose comme un oiseau remue un peu
A son ventre serein comme un monceau de tripe!

Autour, dort un fouillis de meubles abrutis
Dans des haillons de crasse et sur de sales ventres;
Des escabeaux, crapauds étranges, sont blottis
Aux coins noirs : des buffets ont des gueules de chantres
Qu'entr'ouvre un sommeil plein d'horribles appétits.

L'écœurante chaleur gorge la chambre étroite;
Le cerveau du bonhomme est bourré de chiffons.
Il écoute les poils pousser dans sa peau moite,
Et, parfois, en hoquets fort gravement bouffons
S'échappe, secouant son escabeau qui boite...

.. ..

Et le soir, aux rayons de lune, qui lui font
Aux contours du cul des bavures de lumière,
Une ombre avec détails s'accroupit, sur un fond
De neige rose, ainsi qu'une rose trémière...
Fantasque, un nez poursuit Vénus au ciel profond.

LES POÈTES DE SEPT ANS

A M. P. Demeny.

ET la Mère, fermant le livre du devoir,
S'en allait satisfaite et très fière, sans voir,
Dans les yeux bleus et sous le front plein d'éminences,
L'âme de son enfant livrée aux répugnances.

Tout le jour il suait d'obéissance; très
Intelligent; pourtant des tics noirs, quelques traits
Semblaient prouver en lui d'âcres hypocrisies.
Dans l'ombre des couloirs aux tentures moisies,
En passant il tirait la langue, les deux poings
A l'aine, et dans ses yeux fermés voyait des points.
Une porte s'ouvrait sur le soir : à la lampe

On le voyait, là-haut, qui râlait sur la rampe,
Sous un golfe de jour pendant du toit. L'été
Surtout, vaincu, stupide, il était entêté
A se renfermer dans la fraîcheur des latrines :
Il pensait là, tranquille et livrant ses narines.

Quand, lavé des odeurs du jour, le jardinet
Derrière la maison, en hiver, s'illunait,
Gisant au pied d'un mur, enterré dans la marne
Et pour des visions écrasant son œil darne,
Il écoutait grouiller les galeux espaliers.
Pitié! Ces enfants seuls étaient ses familiers
Qui, chétifs, fronts nus, œil déteignant sur la joue,
Cachant de maigres doigts jaunes et noirs de boue
Sous des habits puant la foire et tout vieillots,
Conversaient avec la douceur des idiots!
Et si, l'ayant surpris à des pitiés immondes,
Sa mère s'effrayait; les tendresses, profondes,
De l'enfant se jetaient sur cet étonnement.
C'était bon. Elle avait le bleu regard, — qui ment!

A sept ans, il faisait des romans, sur la vie
Du grand désert, où luit la Liberté ravie,
Forêts, soleils, rives, savanes! — Il s'aidait
De journaux illustrés où, rouge, il regardait
Des Espagnoles rire et des Italiennes.
Quand venait, l'œil brun, folle, en robes d'indiennes,
— Huit ans, — la fille des ouvriers d'à côté,
La petite brutale, et qu'elle avait sauté,
Dans un coin, sur son dos, en secouant ses tresses,
Et qu'il était sous elle, il lui mordait les fesses,
Car elle ne portait jamais de pantalons;
— Et, par elle meurtri des poings et des talons,
Remportait les saveurs de sa peau dans sa chambre.

Il craignait les blafards dimanches de décembre,
Où, pommadé, sur un guéridon d'acajou,
Il lisait une Bible à la tranche vert-chou;
Des rêves l'oppressaient chaque nuit dans l'alcôve.
Il n'aimait pas Dieu; mais les hommes, qu'au soir fauve,
Noirs, en blouse, il voyait rentrer dans le faubourg
Où les crieurs, en trois roulements de tambour,
Font autour des édits rire et gronder les foules.

— Il rêvait la prairie amoureuse, où des houles
Lumineuses, parfums sains, pubescences d'or,
Font leur remuement calme et prennent leur essor!

Et comme il savourait surtout les sombres choses,
Quand, dans la chambre nue aux persiennes closes,
Haute et bleue, âcrement prise d'humidité,
Il lisait son roman sans cesse médité,
Plein de lourds ciels ocreux et de forêts noyées,
De fleurs de chair aux bois sidérals déployées,
Vertige, écroulements, déroutes et pitié!
— Tandis que se faisait la rumeur du quartier,
En bas, — seul, et couché sur des pièces de toile
Ecrue, et pressentant violemment la voile!

26 mai 1871.

LES PAUVRES A L'ÉGLISE

PARQUÉS entre des bancs de chêne, aux coins d'église
Qu'attiédit puamment leur souffle, tous leurs yeux
Vers le chœur ruisselant d'orrie et la maîtrise
Aux vingt gueules gueulant les cantiques pieux;

Comme un parfum de pain humant l'odeur de cire,
Heureux, humiliés comme des chiens battus,
Les Pauvres au bon Dieu, le patron et le sire,
Tendent leurs oremus risibles et têtus.

Aux femmes, c'est bien bon de faire des bancs lisses,
Après les six jours noirs où Dieu les fait souffrir!
Elles bercent, tordus dans d'étranges pelisses,
Des espèces d'enfants qui pleurent à mourir.

Leurs seins crasseux dehors, ces mangeuses de soupe,
Une prière aux yeux et ne priant jamais,
Regardent parader mauvaisement un groupe
De gamines avec leurs chapeaux déformés.

Dehors, [la nuit,] le froid, la faim, l'homme en ribote.
C'est bon. Encore une heure; après, les maux sans noms!

— Cependant, alentour, geint, nasille, chuchote
Une collection de vieilles à fanons :

Ces effarés y sont et ces épileptiques
Dont on se détournait hier aux carrefours;
Et, fringalant du nez dans des missels antiques,
Ces aveugles qu'un chien introdùit dans les cours.

Et tous, bavant la foi mendiante et stupide,
Récitent la complainte infinie à Jésus
Qui rêve en haut, jauni par le vitrail livide,
Loin des maigres mauvais et des méchants pansus,

Loin des senteurs de viande et d'étoffes moisies,
Farce prostrée et sombre aux gestes repoussants;
— Et l'oraison fleurit d'expressions choisies,
Et les mysticités prennent des tons pressants,

Quand, des nefs où périt le soleil, plis de soie
Banals, sourires verts, les Dames des quartiers
Distingués, — ô Jésus! — les malades du foie
Font baiser leurs longs doigts jaunes aux bénitiers.

1871.

L'ORGIE PARISIENNE
OU
PARIS SE REPEUPLE

O LACHES, la voilà! Dégorgez dans les gares!
Le soleil essuya de ses poumons ardents
Les boulevards qu'un soir comblèrent les Barbares.
Voilà la Cité sainte, assise à l'occident!

Allez! on préviendra les reflux d'incendie,
Voilà les quais, voilà les boulevards, voilà
Les maisons sur l'azur léger qui s'irradie
Et qu'un soir la rougeur des bombes étoila!

Cachez les palais morts dans des niches de planches!
L'ancien jour effaré rafraîchit vos regards.

Voici le troupeau roux des tordeuses de hanches :
Soyez fous, vous serez drôles, étant hagards!

Tas de chiennes en rut mangeant des cataplasmes,
Le cri des maisons d'or vous réclame. Volez!
Mangez! Voici la nuit de joie aux profonds spasmes
Qui descend dans la rue. O buveurs désolés,

Buvez! Quand la lumière arrive intense et folle,
Fouillant à vos côtés les luxes ruisselants,
Vous n'allez pas baver, sans geste, sans parole,
Dans vos verres, les yeux perdus aux lointains blancs?

Avalez, pour la Reine aux fesses cascadantes!
Ecoutez l'action des stupides hoquets
Déchirants! Ecoutez sauter aux nuits ardentes
Les idiots râleux, vieillards, pantins, laquais!

O cœurs de saleté, bouches épouvantables,
Fonctionnez plus fort, bouches de puanteurs!
Un vin pour ces torpeurs ignobles, sur ces tables...
Vos ventres sont fondus de hontes, ô Vainqueurs!

Ouvrez votre narine aux superbes nausées!
Trempez de poisons forts les cordes de vos cous!
Sur vos nuques d'enfants baissant ses mains croisées
Le Poète vous dit : « O lâches, soyez fous!

Parce que vous fouillez le ventre de la Femme,
Vous craignez d'elle encore une convulsion
Qui crie, asphyxiant votre nichée infâme
Sur sa poitrine, en une horrible pression.

Syphilitiques, fous, rois, pantins, ventriloques,
Qu'est-ce que ça peut faire à la putain Paris,
Vos âmes et vos corps, vos poisons et vos loques?
Elle se secouera de vous, hargneux pourris!

Et quand vous serez bas, geignant sur vos entrailles,
Les flancs morts, réclamant votre argent, éperdus,
La rouge courtisane aux seins gros de batailles
Loin de votre stupeur tordra ses poings ardus!

Quand tes pieds ont dansé si fort dans les colères,
Paris! quand tu reçus tant de coups de couteau,
Quand tu gis, retenant dans tes prunelles claires
Un peu de la bonté du fauve renouveau,

O cité douloureuse, ô cité quasi morte,
La tête et les deux seins jetés vers l'Avenir
Ouvrant sur ta pâleur ses milliards de portes,
Cité que le Passé sombre pourrait bénir :

Corps remagnétisé pour les énormes peines,
Tu rebois donc la vie effroyable! tu sens
Sourdre le flux des vers livides en tes veines,
Et sur ton clair amour rôder les doigts glaçants!

Et ce n'est pas mauvais. Les vers, les vers livides
Ne gêneront pas plus ton souffle de Progrès
Que les Stryx n'éteignaient l'œil des Cariatides
Où des pleurs d'or astral tombaient des bleus degrés. »

Quoique ce soit affreux de te revoir couverte
Ainsi; quoiqu'on n'ait fait jamais d'une cité
Ulcère plus puant à la Nature verte,
Le Poète te dit : « Splendide est ta Beauté! »

L'orage te sacra suprême poésie;
L'immense remuement des forces te secourt;
Ton œuvre bout, la mort gronde, Cité choisie!
Amasse les strideurs au cœur du clairon sourd.

Le Poète prendra le sanglot des Infâmes,
La haine des Forçats, la clameur des Maudits;
Et ses rayons d'amour flagelleront les Femmes.
Ses strophes bondiront : Voilà! voilà! bandits!

— Société, tout est rétabli : — les orgies
Pleurent leur ancien râle aux anciens lupanars :
Et les gaz en délire, aux murailles rougies,
Flambent sinistrement vers les azurs blafards!

Mai 1871.

LES MAINS DE JEANNE-MARIE

JEANNE-MARIE a des mains fortes,
Mains sombres que l'été tanna,
Mains pâles comme des mains mortes.
— Sont-ce des mains de Juana?

Ont-elles pris les crèmes brunes
Sur les mares des voluptés?
Ont-elles trempé dans des lunes
Aux étangs de sérénités?

Ont-elles bu des cieux barbares,
Calmes sur les genoux charmants?
Ont-elles roulé des cigares
Ou trafiqué des diamants?

Sur les pieds ardents des Madones
Ont-elles fané des fleurs d'or?
C'est le sang noir des belladones
Qui dans leur paume éclate et dort.

Mains chasseresses des diptères
Dont bombinent les bleuisons
Aurorales, vers les nectaires?
Mains décanteuses de poisons?

Oh! quel Rêve les a saisies
Dans les pandiculations?
Un rêve inouï des Asies,
Des Khenghavars ou des Sions?

— Ces mains n'ont pas vendu d'oranges,
Ni bruni sur les pieds des dieux :
Ces mains n'ont pas lavé les langes
Des lourds petits enfants sans yeux.

Ce ne sont pas mains de cousine
Ni d'ouvrières aux gros fronts
Que brûle, aux bois puant l'usine,
Un soleil ivre de goudrons.

Ce sont des ployeuses d'échines,
Des mains qui ne font jamais mal,
Plus fatales que des machines,
Plus fortes que tout un cheval!

Remuant comme des fournaises,
Et secouant tous ses frissons,
Leur chair chante des Marseillaises
Et jamais les Eleisons!

Ça serrerait vos cous, ô femmes
Mauvaises, ça broierait vos mains,
Femmes nobles, vos mains infâmes
Pleines de blancs et de carmins.

L'éclat de ces mains amoureuses
Tourne le crâne des brebis!
Dans leurs phalanges savoureuses
Le grand soleil met un rubis!

Une tache de populace
Les brunit comme un sein d'hier;
Le dos de ces Mains est la place
Qu'en baisa tout Révolté fier!

Elles ont pâli, merveilleuses,
Au grand soleil d'amour chargé,
Sur le bronze des mitrailleuses
A travers Paris insurgé!

Ah! quelquefois, ô Mains sacrées,
A vos poings, Mains où tremblent nos
Lèvres jamais désenivrées,
Crie une chaîne aux clairs anneaux!

Et c'est un soubresaut étrange
Dans nos êtres, quand, quelquefois,
On veut vous déhâler, Mains d'ange,
En vous faisant saigner les doigts!

LES SŒURS DE CHARITÉ

Le jeune homme dont l'œil est brillant, la peau brune,
Le beau corps de vingt ans qui devrait aller nu,
Et qu'eût, le front cerclé de cuivre, sous la lune
Adoré, dans la Perse, un Génie inconnu,

Impétueux avec des douceurs virginales
Et noires, fier de ses premiers entêtements,
Pareil aux jeunes mers, pleurs de nuits estivales,
Qui se retournent sur des lits de diamants;

Le jeune homme, devant les laideurs de ce monde
Tressaille dans son cœur largement irrité,
Et plein de la blessure éternelle et profonde,
Se prend à désirer sa sœur de charité.

Mais, ô Femme, monceau d'entrailles, pitié douce,
Tu n'es jamais la Sœur de charité, jamais,
Ni regard noir, ni ventre où dort une ombre rousse,
Ni doigts légers, ni seins splendidement formés.

Aveugle irréveillée aux immenses prunelles,
Tout notre embrassement n'est qu'une question :
C'est toi qui pends à nous, porteuse de mamelles,
Nous te berçons, charmante et grave Passion.

Tes haines, tes torpeurs fixes, tes défaillances,
Et tes brutalités souffertes autrefois,
Tu nous rends tout, ô Nuit pourtant sans malveillances,
Comme un excès de sang épanché tous les mois.

— Quand la femme, portée un instant, l'épouvante,
Amour, appel de vie et chanson d'action,
Viennent la Muse verte et la Justice ardente
Le déchirer de leur auguste obsession.

Ah! sans cesse altéré des splendeurs et des calmes,
Délaissé des deux Sœurs implacables, geignant

Avec tendresse après la science aux bras almes,
Il porte à la nature en fleur son front saignant.

Mais la noire alchimie et les saintes études
Répugnent au blessé, sombre savant d'orgueil;
Il sent marcher sur lui d'atroces solitudes.
Alors, et toujours beau, sans dégoût du cercueil,

Qu'il croie aux vastes fins, Rêves ou Promenades
Immenses, à travers les nuits de Vérité,
Et t'appelle en son âme et ses membres malades,
O Mort mystérieuse, ô sœur de charité!

Juin 1871.

LES CHERCHEUSES DE POUX

Quand le front de l'enfant, plein de rouges tourmentes,
Implore l'essaim blanc des rêves indistincts,
Il vient près de son lit deux grandes sœurs charmantes
Avec de frêles doigts aux ongles argentins.

Elles assoient l'enfant devant une croisée
Grande ouverte où l'air bleu baigne un fouillis de fleurs,
Et dans ses lourds cheveux où tombe la rosée
Promènent leurs doigts fins, terribles et charmeurs.

Il écoute chanter leurs haleines craintives
Qui fleurent de longs miels végétaux et rosés,
Et qu'interrompt parfois un sifflement, salives
Reprises sur la lèvre ou désirs de baisers.

Il entend leurs cils noirs battant sous les silences
Parfumés; et leurs doigts électriques et doux
Font crépiter parmi ses grises indolences
Sous leurs ongles royaux la mort des petits poux.

Voilà que monte en lui le vin de la Paresse,
Soupir d'harmonica qui pourrait délirer;
L'enfant se sent, selon la lenteur des caresses,
Sourdre et mourir sans cesse un désir de pleurer.

LES PREMIÈRES COMMUNIONS

I

Vraiment, c'est bête, ces églises des villages
Où quinze laids marmots encrassant les piliers
Ecoutent, grasseyant les divins babillages,
Un noir grotesque dont fermentent les souliers :
Mais le soleil éveille, à travers les feuillages,
Les vieilles couleurs des vitraux irréguliers.

La pierre sent toujours la terre maternelle.
Vous verrez des monceaux de ces cailloux terreux
Dans la campagne en rut qui frémit solennelle,
Portant près des blés lourds, dans les sentiers ocreux
Ces arbrisseaux brûlés où bleuit la prunelle,
Des nœuds de mûriers noirs et de rosiers fuireux.

Tous les cent ans on rend ces granges respectables
Par un badigeon d'eau bleue et de lait caillé :
Si des mysticités grotesques sont notables
Près de la Notre-Dame ou du Saint empaillé,
Des mouches sentant bon l'auberge et les étables
Se gorgent de cire au plancher ensoleillé.

L'enfant se doit surtout à la maison, famille
Des soins naïfs, des bons travaux abrutissants;
Ils sortent, oubliant que la peau leur fourmille
Où le Prêtre du Christ plaqua ses doigts puissants.
On paie au Prêtre un toit ombré d'une charmille
Pour qu'il laisse au soleil tous ces fronts brunissants.

Le premier habit noir, le plus beau jour de tartes,
Sous le Napoléon ou le Petit Tambour
Quelque enluminure où les Josephs et les Marthes
Tirent la langue avec un excessif amour
Et que joindront, au jour de science, deux cartes,
Ces seuls doux souvenirs lui restent du grand Jour.

Les filles vont toujours à l'église, contentes
De s'entendre appeler garces par les garçons

Qui font du genre après Messe ou vêpres chantantes.
Eux qui sont destinés au chic des garnisons,
Ils narguent au café les maisons importantes,
Blousés neuf, et gueulant d'effroyables chansons.

Cependant le Curé choisit pour les enfances
Des dessins; dans son clos, les vêpres dites, quand
L'air s'emplit du lointain nasillement des danses,
Il se sent, en dépit des célestes défenses,
Les doigts de pied ravis et le mollet marquant;

— La Nuit vient, noir pirate aux cieux d'or débarquant.

II

Le Prêtre a distingué parmi les catéchistes,
Congrégés des Faubourgs ou des Riches Quartiers,
Cette petite fille inconnue, aux yeux tristes,
Front jaune. Les parents semblent de doux portiers.
« Au grand Jour, le marquant parmi les Catéchistes,
Dieu fera sur ce front neiger ses bénitiers. »

III

La veille du grand Jour, l'enfant se fait malade.
Mieux qu'à l'Eglise haute aux funèbres rumeurs,
D'abord le frisson vient, — le lit n'étant pas fade, —
Un frisson surhumain qui retourne : « Je meurs... »

Et, comme un vol d'amour fait à ses sœurs stupides,
Elle compte, abattue et les mains sur son cœur,
Les Anges, les Jésus et ses Vierges nitides
Et, calmement, son âme a bu tout son vainqueur.

Adonaï!... — Dans les terminaisons latines,
Des cieux moirés de vert baignent les Fronts vermeils,
Et, tachés du sang pur des célestes poitrines,
De grands linges neigeux tombent sur les soleils!

— Pour ses virginités présentes et futures
Elle mord aux fraîcheurs de ta Rémission,
Mais plus que les lys d'eau, plus que les confitures,
Tes pardons sont glacés, ô Reine de Sion!

61

Puis la Vierge n'est plus que la vierge du livre.
Les mystiques élans se cassent quelquefois...
Et vient la pauvreté des images, que cuivre
L'ennui, l'enluminure atroce et les vieux bois;

Des curiosités vaguement impudiques
Epouvantent le rêve aux chastes bleuités
Qui s'est surpris autour des célestes tuniques,
Du linge dont Jésus voile ses nudités.

Elle veut, elle veut, pourtant, l'âme en détresse,
Le front dans l'oreiller creusé par les cris sourds,
Prolonger les éclairs suprêmes de tendresse,
Et bave... — L'ombre emplit les maisons et les cours.

Et l'enfant ne peut plus. Elle s'agite, cambre
Les reins et d'une main ouvre le rideau bleu
Pour amener un peu la fraîcheur de la chambre
Sous le drap, vers son ventre et sa poitrine en feu...

V

A son réveil, — minuit, — la fenêtre était blanche.
Devant le sommeil bleu des rideaux illunés,
La vision la prit des candeurs du dimanche;
Elle avait rêvé rouge. Elle saigna du nez,

Et se sentant bien chaste et pleine de faiblesse
Pour savourer en Dieu son amour revenant,
Elle eut soif de la nuit où s'exalte et s'abaisse
Le cœur, sous l'œil des cieux doux, en les devinant;

De la nuit, Vierge-Mère impalpable, qui baigne
Tous les jeunes émois de ses silences gris;
Elle eut soif de la nuit forte où le cœur qui saigne
Ecoule sans témoin sa révolte sans cris.

Et faisant la Victime et la petite épouse,
Son étoile la vit, une chandelle aux doigts,
Descendre dans la cour où séchait une blouse,
Spectre blanc, et lever les spectres noirs des toits.

VI

Elle passa sa nuit sainte dans les latrines.
Vers la chandelle, aux trous du toit coulait l'air blanc,
Et quelque vigne folle aux noirceurs purpurines,
En deçà d'une cour voisine s'écroulant.

La lucarne faisait un cœur de lueur vive
Dans la cour où les cieux bas plaquaient d'ors vermeils
Les vitres; les pavés puant l'eau de lessive
Soufraient l'ombre des murs bondés de noirs sommeils.
. . . .

VII

Qui dira ces langueurs et ces pitiés immondes,
Et ce qu'il lui viendra de haine, ô sales fous
Dont le travail divin déforme encor les mondes,
Quand la lèpre à la fin mangera ce corps doux?
. . . .

VIII

Et quand, ayant rentré tous ses nœuds d'hystéries,
Elle verra, sous les tristesses du bonheur,
L'amant rêver au blanc million des Maries,
Au matin de la nuit d'amour, avec douleur :

« Sais-tu que je t'ai fait mourir? J'ai pris ta bouche,
Ton cœur, tout ce qu'on a, tout ce que vous avez;
Et moi, je suis malade : Oh! je veux qu'on me couche
Parmi les Morts des eaux nocturnes abreuvés!

« J'étais bien jeune, et Christ a souillé mes haleines.
Il me bonda jusqu'à la gorge de dégoûts!
Tu baisais mes cheveux profonds comme les laines,
Et je me laissais faire... ah! va, c'est bon pour vous,

« Hommes! qui songez peu que la plus amoureuse
Est, sous sa conscience aux ignobles terreurs,
La plus prostituée et la plus douloureuse,
Et que tous nos élans vers vous sont des erreurs!

« Car ma Communion première est bien passée.
Tes baisers, je ne puis jamais les avoir sus :
Et mon cœur et ma chair par ta chair embrassée
Fourmillent du baiser putride de Jésus! »

IX

Alors l'âme pourrie et l'âme désolée
Sentiront ruisseler tes malédictions.
— Ils auront couché sur ta Haine inviolée,
Echappés, pour la mort, des justes passions,

Christ! ô Christ, éternel voleur des énergies,
Dieu qui pour deux mille ans vouas à ta pâleur,
Cloués au sol, de honte et de céphalalgies,
Ou renversés, les fronts des femmes de douleur.

Juillet 1871.

L'HOMME JUSTE

(Fragments)

Le Juste restait droit sur ses hanches solides :
Un rayon lui dorait l'épaule; des sueurs
Me prirent : « Tu veux voir rutiler les bolides?
Et, debout, écouter bourdonner les flueurs
D'astres lactés, et les essaims d'astéroïdes?

« Par des farces de nuit ton front est épié,
O Juste! Il faut gagner un toit. Dis ta prière,
La bouche dans ton drap doucement expié;
Et si quelque égaré choque ton ostiaire,
Dis : Frère, va plus loin, je suis estropié! »

Et le Juste restait debout, dans l'épouvante
Bleuâtre des gazons après le soleil mort :

« Alors, mettrais-tu tes genouillères en vente,
O Vieillard? Pèlerin sacré! barde d'Armor!
Pleureur des Oliviers! main que la pitié gante!

« Barbe de la famille et poing de la cité,
Croyant très doux : ô cœur tombé dans les calices,
Majestés et vertus, amour et cécité,
Juste! plus bête et plus dégoûtant que les lices!
Je suis celui qui souffre et qui s'est révolté!

« Et ça me fait pleurer sur mon ventre, ô stupide,
Et bien rire, l'espoir fameux de ton pardon!
Je suis maudit, tu sais! je suis soûl, fou, livide,
Ce que tu veux! Mais va te coucher, voyons donc,
Juste! Je ne veux rien à ton cerveau torpide.

« C'est toi le Juste, enfin, le Juste! C'est assez!
C'est vrai que ta tendresse et ta raison sereines
Reniflent dans la nuit comme des cétacés,
Que tu te fais proscrire et dégoises des thrènes
Sur d'effroyables becs-de-canne fracassés!

« Et c'est toi l'œil de Dieu! le lâche! Quand les plantes
Froides des pieds divins passeraient sur mon cou,
Tu es lâche! O ton front qui fourmille de lentes!
Socrates et Jésus, Saints et Justes, dégoût!
Respectez le Maudit suprême aux nuits sanglantes! »

J'avais crié cela sur la terre, et la nuit
Calme et blanche occupait les cieux pendant ma fièvre.
Je relevai mon front : le fantôme avait fui,
Emportant l'ironie atroce de ma lèvre...
— Vents nocturnes, venez au Maudit! Parlez-lui,

Cependant que silencieux sous les pilastres
D'azur, allongeant les comètes et les nœuds
D'univers, remuement énorme sans désastres,
L'Ordre, éternel veilleur, rame aux cieux lumineux
Et de sa drague en feu laisse filer les astres!

Ah! qu'il s'en aille, lui, la gorge cravatée
De honte, ruminant toujours mon ennui, doux
Comme le sucre sur la denture gâtée,
— Tel que la chienne après l'assaut des fiers toutous,
Léchant son flanc d'où part une entraille emportée.

Qu'il dise charités crasseuses et progrès...
— J'exècre tous ces yeux de Chinois à bedaines,
Puis qui chante : nana, comme un tas d'enfants près
De mourir, idiots doux aux chansons soudaines :
O Justes, nous chierons dans vos ventres de grès!

A Monsieur Théodore de Banville.

CE QU'ON DIT AU POÈTE
A PROPOS DE FLEURS

I

AINSI, toujours, vers l'azur noir
Où tremble la mer des topazes,
Fonctionneront dans ton soir
Les Lys, ces clystères d'extases!

A notre époque de sagous,
Quand les Plantes sont travailleuses,
Le Lys boira les bleus dégoûts
Dans tes Proses religieuses!

— Le lys de monsieur de Kerdrel,
Le Sonnet de mil huit cent trente,
Le Lys qu'on donne au Ménestrel
Avec l'œillet et l'amarante!

Des lys! Des lys! On n'en voit pas!
Et dans ton Vers, tel que les manches
Des Pécheresses aux doux pas,
Toujours frissonnent ces fleurs blanches!

Toujours, Cher, quand tu prends un bain,
Ta Chemise aux aisselles blondes
Se gonfle aux brises du matin
Sur les myosotis immondes!

L'amour ne passe à tes octrois
Que les Lilas, — ô balançoires!
Et les Violettes du Bois,
Crachats sucrés des Nymphes noires!...

II

O Poètes, quand vous auriez
Les Roses, les Roses soufflées,
Rouges sur tiges de lauriers,
Et de mille octaves enflées!

Quand Banville en ferait neiger,
Sanguinolentes, tournoyantes,
Pochant l'œil fou de l'étranger
Aux lectures mal bienveillantes!

De vos forêts et de vos prés,
O très-paisibles photographes!
La Flore est diverse à peu près
Comme des bouchons de carafes!

Toujours les végétaux Français,
Hargneux, phtisiques, ridicules,
Où le ventre des chiens bassets
Navigue en paix, aux crépuscules;

Toujours, après d'affreux dessins
De Lotos bleus ou d'Hélianthes,
Estampes roses, sujets saints
Pour de jeunes communiantes!

L'Ode Açoka cadre avec la
Strophe en fenêtre de lorette;
Et de lourds papillons d'éclat
Fientent sur la Pâquerette.

Vieilles verdures, vieux galons!
O croquignoles végétales!
Fleurs fantasques des vieux Salons!
— Aux hannetons, pas aux crotales,

Ces poupards végétaux en pleurs
Que Grandville eût mis aux lisières,
Et qu'allaitèrent de couleurs
De méchants astres à visières!

Oui, vos bavures de pipeaux
Font de précieuses glucoses!
— Tas d'œufs frits dans de vieux chapeaux,
Lys, Açokas, Lilas et Roses!...

III

O blanc Chasseur, qui cours sans bas
A travers le Pâtis panique,
Ne peux-tu pas, ne dois-tu pas
Connaître un peu ta botanique?

Tu ferais succéder, je crains,
Aux Grillons roux les Cantharides,
L'or des Rios au bleu des Rhins, —
Bref, aux Norwèges les Florides :

Mais, Cher, l'Art n'est plus, maintenant,
— C'est la vérité, — de permettre
A l'Eucalyptus étonnant
Des constrictors d'un hexamètre;

Là!... Comme si les Acajous
Ne servaient, même en nos Guyanes,
Qu'aux cascades des sapajous,
Au lourd délire des lianes!

— En somme, une Fleur, Romarin
Ou Lys, vive ou morte, vaut-elle
Un excrément d'oiseau marin?
Vaut-elle un seul pleur de chandelle?

— Et j'ai dit ce que je voulais!
Toi, même assis là-bas, dans une
Cabane de bambous, — volets
Clos, tentures de perse brune, —

Tu torcherais des floraisons
Dignes d'Oises extravagantes!...
— Poète! ce sont des raisons
Non moins risibles qu'arrogantes!...

IV

Dis, non les pampas printaniers
Noirs d'épouvantables révoltes,
Mais les tabacs, les cotonniers!
Dis les exotiques récoltes!

Dis, front blanc que Phébus tanna,
De combien de dollars se rente
Pedro Velasquez, Habana;
Incague la mer de Sorrente

Où vont les Cygnes par milliers;
Que tes Strophes soient des réclames
Pour l'abatis des mangliers
Fouillés des hydres et des lames!

Ton quatrain plonge aux bois sanglants
Et revient proposer aux Hommes
Divers sujets de sucres blancs
De pectoraires et de gommes!

Sachons par Toi si les blondeurs
Des Pics neigeux, vers les Tropiques,
Sont ou des insectes pondeurs
Ou des lichens microscopiques!

Trouve, ô Chasseur, nous le voulons,
Quelques garances parfumées
Que la Nature en pantalons
Fasse éclore! — pour nos Armées!

Trouve, aux abords du Bois qui dort,
Les fleurs, pareilles à des mufles,
D'où bavent des pommades d'or
Sur les cheveux sombres des Bufles!

Trouve, aux prés fous, où sur le Bleu
Tremble l'argent des pubescences,
Des Calices pleins d'Œufs de feu
Qui cuisent parmi les essences!

Trouve des Chardons cotonneux
Dont dix ânes aux yeux de braises
Travaillent à filer les nœuds!
Trouve des Fleurs qui soient des chaises!

Oui, trouve au cœur des noirs filons
Des fleurs presque pierres, — fameuses! —
Qui vers leurs durs ovaires blonds
Aient des amygdales gemmeuses!

Sers-nous, ô Farceur, tu le peux,
Sur un plat de vermeil splendide
Des ragoûts de Lys sirupeux
Mordant nos cuillers Alfénide!

V

Quelqu'un dira le grand Amour,
Voleur des sombres Indulgences :
Mais ni Renan, ni le chat Murr
N'ont vu les Bleus Thyrses immenses!

Toi, fais jouer dans nos torpeurs,
Par les parfums les hystéries;
Exalte-nous vers des candeurs
Plus candides que les Maries...

Commerçant! colon! médium!
Ta Rime sourdra, rose ou blanche,
Comme un rayon de sodium,
Comme un caoutchouc qui s'épanche!

De tes noirs Poèmes, — Jongleur!
Blancs, verts, et rouges dioptriques,
Que s'évadent d'étranges fleurs
Et des papillons électriques!

Voilà! c'est le Siècle d'enfer!
Et les poteaux télégraphiques
Vont orner, — lyre aux chants de fer,
Tes omoplates magnifiques!

Surtout, rime une version
Sur le mal des pommes de terre!
— Et, pour la composition
De Poèmes pleins de mystère

Qu'on doive lire de Tréguier
A Paramaribo, rachète
Des Tomes de Monsieur Figuier,
— Illustrés! — chez Monsieur Hachette!

ALCIDE BAVA.

A. R.
14 juillet 1871

VOYELLES

A noir, E blanc, I rouge, U vert, O bleu : voyelles,
Je dirai quelque jour vos naissances latentes :
A, noir corset velu des mouches éclatantes
Qui bombinent autour des puanteurs cruelles,

Golfes d'ombre; E, candeurs des vapeurs et des tentes,
Lances des glaciers fiers, rois blancs, frissons d'ombelles;
I, pourpres, sang craché, rire des lèvres belles
Dans la colère ou les ivresses pénitentes;

U, cycles, vibrements divins des mers virides,
Paix des pâtis semés d'animaux, paix des rides
Que l'alchimie imprime aux grands fronts studieux;

O, suprême Clairon plein des strideurs étranges,
Silences traversés des Mondes et des Anges :
— O l'Oméga, rayon violet de Ses Yeux!

*
**

L'étoile a pleuré rose au cœur de tes oreilles,
L'infini roulé blanc de ta nuque à tes reins;
La mer a perlé rousse à tes mammes vermeilles
Et l'Homme saigné noir à ton flanc souverain.

71

LE BATEAU IVRE

Comme je descendais des Fleuves impassibles,
Je ne me sentis plus guidé par les haleurs :
Des Peaux-Rouges criards les avaient pris pour cibles,
Les ayant cloués nus aux poteaux de couleurs.

J'étais insoucieux de tous les équipages,
Porteur de blés flamands ou de cotons anglais.
Quand avec mes haleurs ont fini ces tapages,
Les Fleuves m'ont laissé descendre où je voulais.

Dans les clapotements furieux des marées,
Moi, l'autre hiver, plus sourd que les cerveaux d'enfants,
Je courus! Et les Péninsules démarrées
N'ont pas subi tohu-bohus plus triomphants.

La tempête a béni mes éveils maritimes.
Plus léger qu'un bouchon j'ai dansé sur les flots
Qu'on appelle rouleurs éternels de victimes,
Dix nuits, sans regretter l'œil niais des falots!

Plus douce qu'aux enfants la chair des pommes sures,
L'eau verte pénétra ma coque de sapin
Et des taches de vins bleus et des vomissures
Me lava, dispersant gouvernail et grappin.

Et dès lors, je me suis baigné dans le Poème
De la Mer, infusé d'astres, et lactescent,
Dévorant les azurs verts; où, flottaison blême
Et ravie, un noyé pensif parfois descend;

Où, teignant tout à coup les bleuités, délires
Et rhythmes lents sous les rutilements du jour,
Plus fortes que l'alcool, plus vastes que nos lyres,
Fermentent les rousseurs amères de l'amour!

Je sais les cieux crevant en éclairs, et les trombes
Et les ressacs et les courants : je sais le soir,

L'Aube exaltée ainsi qu'un peuple de colombes,
Et j'ai vu quelquefois ce que l'homme a cru voir!

J'ai vu le soleil bas, taché d'horreurs mystiques,
Illuminant de longs figements violets,
Pareils à des acteurs de drames très-antiques
Les flots roulant au loin leurs frissons de volets!

J'ai rêvé la nuit verte aux neiges éblouies,
Baiser montant aux yeux des mers avec lenteurs,
La circulation des sèves inouïes,
Et l'éveil jaune et bleu des phosphores chanteurs!

J'ai suivi, des mois pleins, pareille aux vacheries
Hystériques, la houle à l'assaut des récifs,
Sans songer que les pieds lumineux des Maries
Pussent forcer le mufle aux Océans poussifs!

J'ai heurté, savez-vous, d'incroyables Florides
Mêlant aux fleurs des yeux de panthères à peaux
D'hommes! Des arcs-en-ciel tendus comme des brides
Sous l'horizon des mers, à de glauques troupeaux!

J'ai vu fermenter les marais énormes, nasses
Où pourrit dans les joncs tout un Léviathan!
Des écroulements d'eaux au milieu des bonaces,
Et les lointains vers les gouffres cataractant!

Glaciers, soleils d'argent, flots nacreux, cieux de braises!
Echouages hideux au fond des golfes bruns
Où les serpents géants dévorés des punaises
Choient, des arbres tordus, avec de noirs parfums!

J'aurais voulu montrer aux enfants ces dorades
Du flot bleu, ces poissons d'or, ces poissons chantants.
— Des écumes de fleurs ont bercé mes dérades
Et d'ineffables vents m'ont ailé par instants.

Parfois, martyr lassé des pôles et des zones,
La mer dont le sanglot faisait mon roulis doux
Montait vers moi ses fleurs d'ombre aux ventouses jaunes
Et je restais, ainsi qu'une femme à genoux...

Presque île, ballottant sur mes bords les querelles
Et les fientes d'oiseaux clabaudeurs aux yeux blonds.

Et je voguais, lorsqu'à travers mes liens frêles
Des noyés descendaient dormir, à reculons!

Or moi, bateau perdu sous les cheveux des anses,
Jeté par l'ouragan dans l'éther sans oiseau,
Moi dont les Monitors et les voiliers des Hanses
N'auraient pas repêché la carcasse ivre d'eau;

Libre, fumant, monté de brumes violettes,
Moi qui trouais le ciel rougeoyant comme un mur
Qui porte, confiture exquise aux bons poètes,
Des lichens de soleil et des morves d'azur;

Qui courais, taché de lunules électriques,
Planche folle, escorté des hippocampes noirs,
Quand les juillets faisaient crouler à coups de triques
Les cieux ultramarins aux ardents entonnoirs;

Moi qui tremblais, sentant geindre à cinquante lieues
Le rut des Béhémots et les Maelstroms épais,
Fileur éternel des immobilités bleues,
Je regrette l'Europe aux anciens parapets!

J'ai vu des archipels sidéraux! et des îles
Dont les cieux délirants sont ouverts au vogueur :
— Est-ce en ces nuits sans fonds que tu dors et t'exiles,
Million d'oiseaux d'or, ô future Vigueur?

Mais, vrai, j'ai trop pleuré! Les Aubes sont navrantes.
Toute lune est atroce et tout soleil amer :
L'âcre amour m'a gonflé de torpeurs enivrantes.
O que ma quille éclate! O que j'aille à la mer!

Si je désire une eau d'Europe, c'est la flache
Noire et froide où vers le crépuscule embaumé
Un enfant accroupi plein de tristesse, lâche
Un bateau frêle comme un papillon de mai.

Je ne puis plus, baigné de vos langueurs, ô lames,
Enlever leur sillage aux porteurs de cotons,
Ni traverser l'orgueil des drapeaux et des flammes,
Ni nager sous les yeux horribles des pontons.

ALBUM ZUTIQUE

L'IDOLE

SONNET DU TROU DU CUL

Obscur et froncé comme un œillet violet
Il respire, humblement tapi parmi la mousse
Humide encor d'amour qui suit la fuite douce
Des Fesses blanches jusqu'au cœur de son ourlet.

Des filaments pareils à des larmes de lait
Ont pleuré, sous le vent cruel qui les repousse,
A travers de petits caillots de marne rousse
Pour s'aller perdre où la pente les appelait.

Mon Rêve s'aboucha souvent à sa ventouse;
Mon âme, du coït matériel jalouse,
En fit son larmier fauve et son nid de sanglots.

C'est l'olive pâmée, et la flûte caline;
C'est le tube où descend la céleste praline :
Chanaan féminin dans les moiteurs enclos!

ALBERT MÉRAT.

P. V. - A. R.

LYS

O BALANÇOIRE! O lys! clysopompes d'argent!
Dédaigneux des travaux, dédaigneux des famines!
L'Aurore vous emplit d'un amour détergent!
Une douceur de ciel beurre vos étamines!

ARMAND SILVESTRE.

A. R.

LES LÈVRES CLOSES

VU A ROME

IL est à Rome, à la Sixtine,
Couverte d'emblèmes chrétiens,
Une cassette écarlatine
Où sèchent des nez fort anciens :

Nez d'ascètes de Thébaïde,
Nez de chanoines du Saint Graal
Où se figea la nuit livide,
Et l'ancien plain-chant sépulcral.

Dans leur sécheresse mystique,
Tous les matins, on introduit
De l'immondice schismatique
Qu'en poudre fine on a réduit.

LÉON DIERX.

A. R.

FÊTE GALANTE

RÊVEUR, Scapin
Gratte un lapin
Sous sa capote.

Colombina
— Que l'on pina! —
— Do, mi, — tapote

L'œil du lapin
Qui tôt, tapin,
Est en ribote...

PAUL VERLAINE.

A. R.

76

J'occupais un wagon de troisième : un vieux prêtre
Sortit un brûle-gueule et mit à la fenêtre,
Vers les brises, son front très calme aux poils pâlis.
Puis ce chrétien, bravant les brocards impolis,
S'étant tourné, me fit la demande énergique
Et triste en même temps d'une petite chique
De caporal, — ayant été l'aumônier-chef
D'un rejeton royal condamné derechef, —
Pour malaxer l'ennui d'un tunnel, sombre veine
Qui s'offre aux voyageurs, près Soissons, ville d'Aisne.

Je préfère sans doute, au printemps, la guinguette
Où des marronniers nains bourgeonne la baguette,
Vers la prairie étroite et communale, au mois
De mai. Des jeunes chiens rabroués bien des fois
Viennent près des Buveurs triturer des jacinthes
De plate-bande. Et c'est, jusqu'aux soirs d'hyacinthe,
Sur la table d'ardoise où, l'an dix-sept cent vingt
Un diacre grava son sobriquet latin
Maigre comme une prose à des vitraux d'église,
La toux des flacons noirs qui jamais ne les grise.

FRANÇOIS COPPÉE.

A. R.

L'Humanité chaussait le vaste enfant Progrès.

LOUIS XAVIER DE RICARD.

A. RIMBAUD.

CONNERIES

I

JEUNE GOINFRE

Casquette
De moire,
Quéquette
D'ivoire,

Toilette
Très noire,
Paul guette
L'armoire,

Projette
Languette
Sur poire,

S'apprête
Baguette,
Et foire.

A. R.

II

PARIS

Al. Godillot, Gambier,
Galopeau, Volf-Pleyel,
— O Robinets! — Ménier,
— O Christs! — Leperdriel.

Kinck, Jacob, Bonbonnel!
Veuillot, Tropmann, Augier

Gill, Mendès, Manuel,
Guido Gonin! — Panier

Des Grâces! L'Hérissé!
Cirages onctueux!
Pains vieux, spiritueux!

Aveugles! — puis, qui sait? —
Sergents de ville, Enghiens
Chez soi! — Soyons chrétiens!

A. R.

III

COCHER IVRE

POUACRE
Boit :
Nacre
Voit;

Acre
Loi,
Fiacre
Choit!

Femme
Tombe :
Lombe

Saigne :
— Clame!
Geigne.

A. R.

VIEUX DE LA VIEILLE

AUX paysans de l'empereur!
A l'empereur des paysans!
Au fils de Mars,
Au glorieux 18 Mars!
Où le Ciel d'Eugénie a béni les entrailles!

ÉTAT DE SIÈGE?

Le pauvre postillon, sous le dais de fer-blanc,
Chauffant une engelure énorme sous son gant,
Suit son lourd omnibus parmi la rive gauche,
Et de son aine en flamme écarte la sacoche.
Et tandis que, douce ombre où des gendarmes sont,
L'honnête intérieur regarde au ciel profond
La lune se bercer parmi la verte ouate,
Malgré l'édit et l'heure encore délicate,
Et que l'omnibus rentre à l'Odéon, impur
Le débauché glapit au carrefour obscur!

FRANÇOIS COPPÉE.

A. R.

LE BALAI

C'est un humble balai de chiendent, trop dur
Pour une chambre ou pour la peinture d'un mur.
L'usage en est navrant et ne vaut pas qu'on rie.
Racine prise à quelque ancienne prairie
Son crin inerte sèche : et son manche a blanchi.
Tel un bois d'île à la canicule rougi.
La cordelette semble une tresse gelée.
J'aime de cet objet la saveur désolée
Et j'en voudrais laver tes larges bords de lait,
O Lune où l'esprit de nos Sœurs mortes se plaît.

F. C.

EXIL

. . . .

Que l'on s'intéressa souvent, mon cher Conneau!......
Plus qu'à l'Oncle vainqueur, au Petit Ramponneau!...
Que tout honnête instinct sort du Peuple débile!...

Hélas!! Et qui a fait tourner mal notre bile!...
Et qu'il nous sied déjà de pousser le verrou
Au vent que les enfants nomment Bari-barou!...
.. ..

Fragment d'une épître en vers de Napoléon III, 1871.

L'ANGELOT MAUDIT

Toits bleuâtres et portes blanches
Comme en de nocturnes dimanches,

Au bout de la ville sans bruit,
La Rue est blanche, et c'est la nuit.

La Rue a des maisons étranges
Avec des persiennes d'Anges.

Mais, vers une borne, voici
Accourir, mauvais et transi,

Un noir Angelot qui titube,
Ayant trop mangé de jujube.

Il fait caca : puis disparaît :
Mais son caca maudit paraît,

Sous la lune sainte qui vaque,
De sang sale un léger cloaque.

LOUIS RATISBONNE.

A. RIMBAUD.

*
**

Les soirs d'été, sous l'œil ardent des devantures,
Quand la sève frémit sous les grilles obscures
Irradiant au pied des grêles marronniers,
Hors de ces groupes noirs, joyeux ou casaniers,
Suceurs du brûle-gueule ou baiseurs du cigare,
Dans le kiosque mi-pierre étroit où je m'égare,
— Tandis qu'en haut rougeoie une annonce d'*Ibled*, —
Je songe que l'hiver figera le filet

D'eau propre qui bruit, apaisant l'onde humaine,
— Et que l'âpre aquilon n'épargne aucune veine.

FRANÇOIS COPPÉE.

A. RIMBAUD.

Aux livres de chevet, livres de l'art serein,
Obermann et Genlis, Vert-vert et le Lutrin.
Blasé de nouveauté grisâtre et saugrenue,
J'espère, la vieillesse étant enfin venue,
Ajouter le traité du Docteur Venetti.
Je saurai, revenu du public abêti,
Goûter le charme ancien des dessins nécessaires.
Ecrivain et graveur ont doré les misères
Sexuelles : et c'est, n'est-ce pas, cordial :
Dr Venetti, Traité de l'Amour conjugal.

F. COPPÉE.

A. R.

HYPOTYPOSES SATURNIENNES, ex Belmontet.

Quel est donc ce mystère impénétrable et sombre?
Pourquoi, sans projeter leur voile blanche, sombre
  Tout jeune esquif royal gréé?

Renversons la douleur de nos lacrymatoires.

 .. ..
  L'amour veut vivre aux dépens de sa sœur,
  L'amitié vit aux dépens de son frère.

.. ..
Le sceptre, qu'à peine on révère,
N'est que la croix d'un grand calvaire
Sur le volcan des nations!

.. ..
Oh! l'honneur ruisselait sur ta mâle moustache.

BELMONTET,

Archétype Parnassien.

LES REMEMBRANCES DU VIEILLARD IDIOT

Pardon, mon père!
                    Jeune, aux foires de campagne,
Je cherchais, non le tir banal où tout coup gagne,
Mais l'endroit plein de cris où les ânes, le flanc
Fatigué, déployaient ce long tube sanglant
Que je ne comprends pas encore!...
                              Et puis ma mère,
Dont la chemise avait une senteur amère
Quoique fripée au bas et jaune comme un fruit,
Ma mère qui montait au lit avec un bruit
— Fils du travail pourtant, — ma mère, avec sa cuisse
De femme mûre, avec ses reins très gros où plisse
Le linge, me donna ces chaleurs que l'on tait!...

Une honte plus crue et plus calme, c'était
Quand ma petite sœur, au retour de la classe,
Ayant usé longtemps ses sabots sur la glace,
Pissait, et regardait s'échapper de sa lèvre
D'en bas serrée et rose, un fil d'urine mièvre!...

O pardon!
          Je songeais à mon père parfois :
Le soir, le jeu de carte et les mots plus grivois,
Le voisin, et moi qu'on écartait, choses vues...
— Car un père est troublant! — et les choses conçues!...
Son genou, câlineur parfois; son pantalon
Dont mon doigt désirait ouvrir la fente... — oh! non! —
Pour avoir le bout, gros, noir et dur de mon père,
Dont la pileuse main me berçait!...
                              Je veux taire
Le pot, l'assiette à manche, entrevue au grenier,
Les almanachs couverts en rouge, et le panier
De charpie, et la Bible, et les lieux, et la bonne,
La Sainte-Vierge et le crucifix...
                              Oh! personne
Ne fut si fréquemment troublé, comme étonné!
Et maintenant, que le pardon me soit donné :

Puisque les sens infects m'ont mis de leurs victimes,
Je me confesse de l'aveu des jeunes crimes!...
.. ..
Puis! — qu'il me soit permis de parler au Seigneur!
Pourquoi la puberté tardive et le malheur
Du gland tenace et trop consulté? Pourquoi l'ombre
Si lente au bas du ventre? et ces terreurs sans nombre
Comblant toujours la joie ainsi qu'un gravier noir?

— Moi, j'ai toujours été stupéfait. Quoi savoir?
.. ..
Pardonné?...
       Reprenez la chancelière bleue,
Mon père.
       O cette enfance!.. .. ..
.. ..
.. .. — et tirons nous la queue!

FRANÇOIS COPPÉE.
A. R.

RESSOUVENIR

CETTE année où naquit le Prince impérial
Me laisse un souvenir largement cordial
D'un Paris limpide où des N d'or et de neige
Aux grilles du palais, aux gradins du manège,
Eclatent, tricolorement enrubannés.
Dans le remous public des grands chapeaux fanés,
Des chauds gilets à fleurs, des vieilles redingotes,
Et des chants d'ouvriers anciens dans les gargotes,
Sur des châles jonchés l'Empereur marche, noir
Et propre. avec la Sainte espagnole, le soir.

FRANÇOIS COPPÉE.

[*Fin de l'Album Zutique*].

84

L'ENFANT qui ramassa les balles, le Pubère
Où circule le sang de l'exil et d'un Père
Illustre, entend germer sa vie avec l'espoir
De sa figure et de sa stature et veut voir
Des rideaux autres que ceux du Trône et des Crèches,
Aussi son buste exquis n'aspire pas aux brèches
De l'Avenir! — Il a laissé l'ancien jouet. —
O son doux rêve! O son bel Enghien*! Son œil est
Approfondi par quelque immense solitude;
« Pauvre jeune homme, il a sans doute l'Habitude! »

FRANÇOIS COPPÉE.

* Parce que « Enghien chez soi ».

LES CORBEAUX

Seigneur, quand froide est la prairie,
Quand, dans les hameaux abattus,
Les longs angélus se sont tus...
Sur la nature défleurie
Faites s'abattre des grands cieux
Les chers corbeaux délicieux.

Armée étrange aux cris sévères,
Les vents froids attaquent vos nids!
Vous, le long des fleuves jaunis,
Sur les routes aux vieux calvaires,
Sur les fossés et sur les trous
Dispersez-vous, ralliez-vous!

Par milliers, sur les champs de France,
Où dorment des morts d'avant-hier,
Tournoyez, n'est-ce pas, l'hiver,
Pour que chaque passant repense!
Sois donc le crieur du devoir,
O notre funèbre oiseau noir!

Mais, saints du ciel, en haut du chêne,
Mât perdu dans le soir charmé,
Laissez les fauvettes de mai
Pour ceux qu'au fond du bois enchaîne,
Dans l'herbe d'où l'on ne peut fuir,
La défaite sans avenir.

MÉMOIRE

I

L'eau claire; comme le sel des larmes d'enfance,
L'assaut au soleil des blancheurs des corps de femmes;

la soie, en foule et de lys pur, des oriflammes
sous les murs dont quelque pucelle eut la défense;

l'ébat des anges; — Non... le courant d'or en marche,
meut ses bras, noirs, et lourds, et frais surtout, d'herbe. Elle
sombre, ayant le Ciel bleu pour ciel-de-lit, appelle
pour rideaux l'ombre de la colline et de l'arche.

II

Eh! l'humide carreau tend ses bouillons limpides!
L'eau meuble d'or pâle et sans fond les couches prêtes.
Les robes vertes et déteintes des fillettes
font les saules, d'où sautent les oiseaux sans brides.

Plus pure qu'un louis, jaune et chaude paupière
le souci d'eau — ta foi conjugale, ô l'Epouse! —
au midi prompt, de son terne miroir, jalouse
au ciel gris de chaleur la Sphère rose et chère.

III

Madame se tient trop debout dans la prairie
prochaine où neigent les fils du travail; l'ombrelle
aux doigts; foulant l'ombelle; trop fière pour elle;
des enfants lisant dans la verdure fleurie

leur livre de maroquin rouge! Hélas, Lui, comme
mille anges blancs qui se séparent sur la route,
s'éloigne par delà la montagne! Elle, toute
froide, et noire, court! après le départ de l'homme!

IV

Regret des bras épais et jeunes d'herbe pure!
Or des lunes d'avril au cœur du saint lit! Joie
des chantiers riverains à l'abandon, en proie
aux soirs d'août qui faisaient germer ces pourritures!

Qu'elle pleure à présent sous les remparts! l'haleine
des peupliers d'en haut est pour la seule brise.
Puis, c'est la nappe, sans reflets, sans source grise :
un vieux, dragueur, dans sa barque immobile, peine.

V

Jouet de cet œil d'eau morne, je n'y puis prendre,
ô canot immobile! oh! bras trop courts! ni l'une
ni l'autre fleur : ni la jaune qui m'importune,
là; ni la bleue, amie à l'eau couleur de cendre.

Ah! la poudre des saules qu'une aile secoue!
Les roses des roseaux dès longtemps dévorées!
Mon canot, toujours fixe; et sa chaîne tirée
Au fond de cet œil d'eau sans bords, — à quelle boue?

MICHEL ET CHRISTINE

Zut alors, si le soleil quitte ces bords!
Fuis, clair déluge! Voici l'ombre des routes.
Dans les saules, dans la vieille cour d'honneur,
L'orage d'abord jette ses larges gouttes.

O cent agneaux, de l'idylle soldats blonds,
Des aqueducs, des bruyères amaigries,
Fuyez! plaine, déserts, prairie, horizons
Sont à la toilette rouge de l'orage!

Chien noir, brun pasteur dont le manteau s'engouffre,
Fuyez l'heure des éclairs supérieurs;
Blond troupeau, quand voici nager ombre et soufre,
Tâchez de descendre à des retraits meilleurs.

Mais moi, Seigneur! voici que mon esprit vole,
Après les cieux glacés de rouge, sous les
Nuages célestes qui courent et volent
Sur cent Solognes longues comme un railway.

Voilà mille loups, mille graines sauvages
Qu'emporte, non sans aimer les liserons,
Cette religieuse après-midi d'orage
Sur l'Europe ancienne où cent hordes iront!

Après, le clair de lune! partout la lande,
Rougissant leurs fronts aux cieux noirs, les guerriers
Chevauchent lentement leurs pâles coursiers!
Les cailloux sonnent sous cette fière bande!

— Et verrai-je le bois jaune et le val clair,
L'Epouse aux yeux bleus, l'homme au front rouge, ô Gaule,
Et le blanc Agneau Pascal, à leurs pieds chers,
— Michel et Christine, — et Christ! — fin de l'Idylle.

LARME

Loin des oiseaux, des troupeaux, des villageoises,
Je buvais, accroupi dans quelque bruyère
Entourée de tendres bois de noisetiers,
Par un brouillard d'après-midi tiède et vert.

Que pouvais-je boire dans cette jeune Oise,
Ormeaux sans voix, gazon sans fleurs, ciel couvert.
Que tirais-je à la gourde de colocase?
Quelque liqueur d'or, fade et qui fait suer.

Tel, j'eusse été mauvaise enseigne d'auberge.
Puis l'orage changea le ciel, jusqu'au soir.
Ce furent des pays noirs, des lacs, des perches,
Des colonnades sous la nuit bleue, des gares.

L'eau des bois se perdait sur des sables vierges.
Le vent, du ciel, jetait des glaçons aux mares...
Or! tel qu'un pêcheur d'or ou de coquillages,
Dire que je n'ai pas eu souci de boire!

Mai 1872.

LA RIVIÈRE DE CASSIS

La Rivière de Cassis roule ignorée
          En des vaux étranges :
La voix de cent corbeaux l'accompagne, vraie
          Et bonne voix d'anges :
Avec les grands mouvements des sapinaies
          Quand plusieurs vents plongent.

Tout roule avec des mystères révoltants
          De campagnes d'anciens temps;
De donjons visités, de parcs importants :
          C'est en ces bords qu'on entend
Les passions mortes de chevaliers errants :
          Mais que salubre est le vent!

Que le piéton regarde à ces claires-voies :
          Il ira plus courageux.
Soldats des forêts que le Seigneur envoie,
          Chers corbeaux délicieux!
Faites fuir d'ici le paysan matois
          Qui trinque d'un moignon vieux.

                                        Mai 1872.

COMÉDIE DE LA SOIF

I. LES PARENTS

Nous sommes tes Grands-Parents,
          Les Grands!
Couverts des froides sueurs
De la lune et des verdures.
Nos vins secs avaient du cœur!
Au soleil sans imposture
Que faut-il à l'homme? boire.

moi — Mourir aux fleuves barbares.

Nous sommes tes Grands-Parents
            Des champs.
L'eau est au fond des osiers :
Vois le courant du fossé
Autour du château mouillé.
Descendons en nos celliers;
Après, le cidre ou le lait.

MOI — Aller où boivent les vaches.

Nous sommes tes Grands-Parents
            Tiens, prends
Les liqueurs dans nos armoires;
Le Thé, le Café, si rares.
Frémissent dans les bouilloires.
— Vois les images, les fleurs.
Nous rentrons du cimetière.

MOI — Ah! tarir toutes les urnes!

2. L'ESPRIT

Eternelles Ondines,
        Divisez l'eau fine.
Vénus, sœur de l'azur,
        Emeus le flot pur,

Juifs errants de Norwège,
        Dites-moi la neige.
Anciens exilés chers,
        Dites-moi la mer.

MOI — Non, plus ces boissons pures,
        Ces fleurs d'eau pour verres;
Légendes ni figures
        Ne me désaltèrent;

Chansonnier, ta filleule
        C'est ma soif si folle,
Hydre intime sans gueules
        Qui mine et désole.

3. LES AMIS

Viens, les Vins vont aux plages,
Et les flots par millions!
Vois le Bitter sauvage
Rouler du haut des monts!

Gagnons, pèlerins sages,
L'Absinthe aux verts piliers...

MOI — Plus ces paysages.
    Qu'est l'ivresse, Amis?

J'aime autant, mieux, même,
Pourrir dans l'étang,
Sous l'affreuse crème,
Près des bois flottants.

4. LE PAUVRE SONGE

Peut-être un Soir m'attend
Où je boirai tranquille
En quelque vieille Ville,
Et mourrai plus content :
Puisque je suis patient!

Si mon mal se résigne,
Si j'ai jamais quelque or,
Choisirai-je le Nord
Ou le Pays des Vignes?...
— Ah! songer est indigne

Puisque c'est pure perte!
Et si je redeviens
Le voyageur ancien,
Jamais l'auberge verte
Ne peut bien m'être ouverte.

Les pigeons qui tremblent dans la prairie,
Le gibier, qui court et qui voit la nuit,
Les bêtes des eaux, la bête asservie,
Les derniers papillons!... ont soif aussi.

Mais fondre où fond ce nuage sans guide,
— Oh! favorisé de ce qui est frais!
Expirer en ces violettes humides
Dont les aurores chargent ces forêts?

Mai 1872.

BONNE PENSÉE DU MATIN

A quatre heures du matin, l'été,
Le sommeil d'amour dure encore.
Sous les bosquets l'aube évapore
        L'odeur du soir fêté.

Mais là-bas dans l'immense chantier
Vers le soleil des Hespérides,
En bras de chemise, les charpentiers
        Déjà s'agitent.

Dans leur désert de mousse, tranquilles,
Ils préparent les lambris précieux
Où la richesse de la ville
        Rira sous de faux cieux.

Ah! pour ces Ouvriers, charmants
Sujets d'un roi de Babylone,
Vénus! laisse un peu les Amants,
        Dont l'âme est en couronne.

        O Reine des Bergers!
Porte aux travailleurs l'eau-de-vie,
Pour que leurs forces soient en paix
En attendant le bain dans la mer, à midi.

Mai 1872.

FÊTES DE LA PATIENCE

BANNIÈRES DE MAI

Aux branches claires des tilleuls
Meurt un maladif hallali.
Mais des chansons spirituelles
Voltigent parmi les groseilles.
Que notre sang rie en nos veines,
Voici s'enchevêtrer les vignes.
Le ciel est joli comme un ange.
L'azur et l'onde communient.
Je sors. Si un rayon me blesse
Je succomberai sur la mousse.

Qu'on patiente et qu'on s'ennuie
C'est trop simple. Fi de mes peines.
Je veux que l'été dramatique
Me lie à son char de fortune.
Que par toi beaucoup, ô Nature,
— Ah! moins seul et moins nul! — je meure.
Au lieu que les Bergers, c'est drôle,
Meurent à peu près par le monde.

Je veux bien que les saisons m'usent.
A toi, Nature, je me rends;
Et ma faim et toute ma soif.
Et, s'il te plaît, nourris, abreuve.
Rien de rien ne m'illusionne;
C'est rire aux parents, qu'au soleil,
Mais moi je ne veux rire à rien;
Et libre soit cette infortune.

Mai 1872.

Oisive jeunesse,
A tout asservie,
Par délicatesse
J'ai perdu ma vie.
Ah! Que le temps vienne
Où les cœurs s'éprennent.

Je me suis dit : laisse,
Et qu'on ne te voie :
Et sans la promesse
De plus hautes joies.
Que rien ne t'arrête,
Auguste retraite.

J'ai tant fait patience
Qu'à jamais j'oublie;
Craintes et souffrances
Aux cieux sont parties,
Et la soif malsaine
Obscurcit mes veines.

Ainsi la Prairie
A l'oubli livrée,
Grandie, et fleurie
D'encens et d'ivraies
Au bourdon farouche
De cent sales mouches.

Ah! Mille veuvages
De la si pauvre âme
Qui n'a que l'image
De la Notre-Dame!
Est-ce que l'on prie
La Vierge Marie?

Oisive jeunesse
A tout asservie,

Par délicatesse
J'ai perdu ma vie.
Ah! que le temps vienne
Où les cœurs s'éprennent!

Mai 1872.

L'ÉTERNITÉ

ELLE est retrouvée.
Quoi? — L'Eternité.
C'est la mer allée
Avec le soleil.

Ame sentinelle,
Murmurons l'aveu
De la nuit si nulle
Et du jour en feu.

Des humains suffrages,
Des communs élans
Là tu te dégages
Et voles selon.

Puisque de vous seules,
Braises de satin,
Le Devoir s'exhale
Sans qu'on dise : enfin.

Là pas d'espérance,
Nul orietur.
Science avec patience,
Le supplice est sûr.

Elle est retrouvée.
Quoi? — L'Eternité.
C'est la mer allée
Avec le soleil.

Mai 1872.

QUELQU'UNE des voix
Toujours angélique
— Il s'agit de moi, —
Vertement s'explique :

Ces mille questions
Qui se ramifient
N'amènent, au fond,
Qu'ivresse et folie;

Reconnais ce tour
Si gai, si facile :
Ce n'est qu'onde, flore,
Et c'est ta famille!

Puis elle chante. O
Si gai, si facile,
Et visible à l'œil nu...
— Je chante avec elle, —

Reconnais ce tour
Si gai, si facile,
Ce n'est qu'onde, flore,
Et c'est ta famille!... etc...

Et puis une voix
— Est-elle angélique! —
Il s'agit de moi,
Vertement s'explique;

Et chante à l'instant
En sœur des haleines :
D'un ton Allemand,
Mais ardente et pleine :

Le monde est vicieux;
Si cela t'étonne!
Vis et laisse au feu
L'obscure infortune.

O! joli château!
Que ta vie est claire!

De quel Age es-tu,
Nature princière
De notre grand frère! etc...

Je chante aussi, moi :
Multiples sœurs! voix
Pas du tout publiques!
Environnez-moi
De gloire pudique... etc...

Juin 1872.

JEUNE MÉNAGE

La chambre est ouverte au ciel bleu-turquin;
Pas de place : des coffrets et des huches!
Dehors le mur est plein d'aristoloches
Où vibrent les gencives des lutins.

Que ce sont bien intrigues de génies
Cette dépense et ces désordres vains!
C'est la fée africaine qui fournit
La mûre, et les résilles dans les coins.

Plusieurs entrent, marraines mécontentes,
En pans de lumière dans les buffets,
Puis y restent! le ménage s'absente
Peu sérieusement, et rien ne se fait.

Le marié a le vent qui le floue
Pendant son absence, ici, tout le temps.
Même des esprits des eaux, malfaisants
Entrent vaguer aux sphères de l'alcôve.

La nuit, l'amie oh! la lune de miel
Cueillera leur sourire et remplira
De mille bandeaux de cuivre le ciel.
Puis ils auront affaire au malin rat.

— S'il n'arrive pas un feu follet blême,
Comme un coup de fusil, après des vêpres.
— O spectres saints et blancs de Bethléem,
Charmez plutôt le bleu de leur fenêtre!

27 juin 1872.

BRUXELLES

PLATES-BANDES d'amarantes jusqu'à
L'agréable palais de Jupiter.
— Je sais que c'est Toi qui, dans ces lieux,
Mêles ton Bleu presque de Sahara!

Puis, comme rose et sapin du soleil
Et liane ont ici leurs jeux enclos,
Cage de la petite veuve!...
                                        Quelles
Troupes d'oiseaux, ô ia io, ia io!...

— Calmes maisons, anciennes passions!
Kiosque de la Folle par affection.
Après les fesses des rosiers, balcon
Ombreux et très bas de la Juliette.

— La Juliette, ça rappelle l'Henriette,
Charmante station du chemin de fer,
Au cœur d'un mont, comme au fond d'un verger
Où mille diables bleus dansent dans l'air!

Banc vert où chante au paradis d'orage,
Sur la guitare, la blanche Irlandaise.
Puis, de la salle à manger guyanaise,
Bavardage des enfants et des cages.

Fenêtre du duc qui fais que je pense
Au poison des escargots et du buis
Qui dort ici-bas au soleil.
                                        Et puis
C'est trop beau! trop! Gardons notre silence.

— Boulevard sans mouvement ni commerce,
Muet, tout drame et toute comédie,
Réunion des scènes infinie,
Je te connais et t'admire en silence.

Est-elle almée?... aux premières heures bleues
Se détruira-t-elle comme les fleurs feues...
Devant la splendide étendue où l'on sente
Souffler la ville énormément florissante!

C'est trop beau! c'est trop beau! mais c'est nécessaire
— Pour la Pêcheuse et la chanson du Corsaire,
Et aussi puisque les derniers masques crurent
Encore aux fêtes de nuit sur la mer pure!

Juillet 1872.

FÊTES DE LA FAIM

Ma faim, Anne, Anne,
Fuis sur ton âne.

Si j'ai du *goût,* ce n'est guères
Que pour la terre et les pierres.
Dinn! dinn! dinn! dinn! Mangeons l'air,
Le roc, les charbons, le fer.

Mes faims, tournez. Paissez, faims,
Le pré des sons!
Attirez le gai venin
Des liserons;

Mangez
Les cailloux qu'un pauvre brise,
Les vieilles pierres d'églises,
Les galets, fils des déluges,
Pains couchés aux vallées grises!

Mes faims, c'est les bouts d'air noir;
L'azur sonneur;
— C'est l'estomac qui me tire.
C'est le malheur.

Sur terre ont paru les feuilles!
Je vais aux chairs de fruit blettes.

Au sein du sillon je cueille
La doucette et la violette.

> Ma faim, Anne, Anne!
> Fuis sur ton âne.

Août 1872.

*
**

Le loup criait sous les feuilles
En crachant les plus belles plumes
De son repas de volailles :
Comme lui je me consume.

Les salades, les fruits
N'attendent que la cueillette;
Mais l'araignée de la haie
Ne mange que des violettes.

Que je dorme! que je bouille
Aux autels de Salomon.
Le bouillon court sur la rouille,
Et se mêle au Cédron.

*
**

> Entends comme brame
> près des acacias
> en avril la rame
> viride du pois!

> Dans sa vapeur nette,
> vers Phœbé! tu vois
> s'agiter la tête
> de saints d'autrefois...

> Loin des claires meules
> des caps, des beaux toits,
> ces chers Anciens veulent
> ce philtre sournois...

Or ni fériale
ni astrale! n'est
la brume qu'exhale
ce nocturne effet.

Néanmoins ils restent,
— Sicile, Allemagne,
dans ce brouillard triste
et blêmi, justement!

*
* *

O SAISONS, ô châteaux,
Quelle âme est sans défauts?

O saisons, ô châteaux,

J'ai fait la magique étude
Du Bonheur, que nul n'élude.

O vive lui, chaque fois
Que chante son coq gaulois.

Mais! je n'aurai plus d'envie,
Il s'est chargé de ma vie.

Ce Charme! il prit âme et corps,
Et dispersa tous efforts.

Que comprendre à ma parole?
Il fait qu'elle fuie et vole!

O saisons, ô châteaux!

Et, si le malheur m'entraîne,
Sa disgrâce m'est certaine.

Il faut que son dédain, las!
Me livre au plus prompt trépas!

— O saisons, ô Châteaux!

HONTE

TANT que la lame n'aura
Pas coupé cette cervelle,
Ce paquet blanc, vert et gras,
A vapeur jamais nouvelle,

(Ah! Lui, devrait couper son
Nez, sa lèvre, ses oreilles,
Son ventre! et faire abandon
De ses jambes! ô merveille!)

Mais, non; vrai, je crois que tant
Que pour sa tête la lame,
Que les cailloux pour son flanc,
Que pour ses boyaux la flamme,

N'auront pas agi, l'enfant
Gêneur, la si sotte bête,
Ne doit cesser un instant
De ruser et d'être traître,

Comme un chat des Monts-Rocheux,
D'empuantir toutes sphères!
Qu'à sa mort pourtant, ô mon Dieu!
S'élève quelque prière!

*
**

QU'EST-CE pour nous, mon cœur, que les nappes de sang
Et de braise, et mille meurtres, et les longs cris
De rage, sanglots de tout enfer renversant
Tout ordre; et l'Aquilon encor sur les débris;

Et toute vengeance? Rien!... — Mais si, toute encor,
Nous la voulons! Industriels, princes, sénats :
Périssez! puissance, justice, histoire : à bas!
Ça nous est dû. Le sang! le sang! la flamme d'or!

Tout à la guerre, à la vengeance, à la terreur,
Mon esprit! Tournons dans la morsure : Ah! passez,
Républiques de ce monde! Des empereurs,
Des régiments, des colons, des peuples, assez!

Qui remuerait les tourbillons de feu furieux,
Que nous et ceux que nous nous imaginons frères?
A nous, romanesques amis : ça va nous plaire.
Jamais nous ne travaillerons, ô flots de feux!

Europe, Asie, Amérique, disparaissez.
Notre marche vengeresse a tout occupé,
Cités et campagnes! — Nous serons écrasés!
Les volcans sauteront! Et l'Océan frappé...

Oh! mes amis! — Mon cœur, c'est sûr, ils sont des frères :
Noirs inconnus, si nous allions! Allons! allons!
O malheur! je me sens frémir, la vieille terre,
Sur moi de plus en plus à vous! la terre fond,

Ce n'est rien! j'y suis! j'y suis toujours.

UNE SAISON EN ENFER

Texte conforme à l'édition originale imprimée pour l'auteur, à Bruxelles, en 1873.

*****

Jadis, si je me souviens bien, ma vie était un festin où s'ouvraient tous les cœurs, où tous les vins coulaient.

Un soir, j'ai assis la Beauté sur mes genoux. — Et je l'ai trouvée amère. — Et je l'ai injuriée.

Je me suis armé contre la justice.

Je me suis enfui. O sorcières, ô misère, ô haine, c'est à vous que mon trésor a été confié!

Je parvins à faire s'évanouir dans mon esprit toute l'espérance humaine. Sur toute joie pour l'étrangler j'ai fait le bond sourd de la bête féroce.

J'ai appelé les bourreaux pour, en périssant, mordre la crosse de leurs fusils. J'ai appelé les fléaux, pour m'étouffer avec le sable, le sang. Le malheur a été mon dieu. Je me suis allongé dans la boue. Je me suis séché à l'air du crime. Et j'ai joué de bons tours à la folie.

Et le printemps m'a apporté l'affreux rire de l'idiot.

Or, tout dernièrement m'étant trouvé sur le point de faire le dernier *couac!* j'ai songé à rechercher la clef du festin ancien, où je reprendrais peut-être appétit.

La charité est cette clef. — Cette inspiration prouve que j'ai rêvé!

« Tu resteras hyène, etc..., » se récrie le démon qui me couronna de si aimables pavots. « Gagne la mort avec tous tes appétits, et ton égoïsme et tous les péchés capitaux. »

Ah! j'en ai trop pris : — Mais, cher Satan, je vous en conjure, une prunelle moins irritée! et en attendant les quelques petites lâchetés en retard, vous qui aimez dans l'écrivain l'absence des facultés descriptives ou instructives, je vous détache ces quelques hideux feuillets de mon carnet de damné.

MAUVAIS SANG

J'AI de mes ancêtres gaulois l'œil bleu blanc, la cervelle étroite, et la maladresse dans la lutte. Je trouve mon habillement aussi barbare que le leur. Mais je ne beurre pas ma chevelure.

Les Gaulois étaient les écorcheurs de bêtes, les brûleurs d'herbes les plus ineptes de leur temps.

D'eux, j'ai : l'idolâtrie et l'amour du sacrilège; — oh! tous les vices, colère, luxure, — magnifique, la luxure; — surtout mensonge et paresse.

J'ai horreur de tous les métiers. Maîtres et ouvriers, tous paysans, ignobles. La main à plume vaut la main à charrue. — Quel siècle à mains! — Je n'aurai jamais ma main. Après, la domesticité mène trop loin. L'honnêteté de la mendicité me navre. Les criminels dégoûtent comme des châtrés : moi, je suis intact, et ça m'est égal.

Mais! qui a fait ma langue perfide tellement, qu'elle ait guidé et sauvegardé jusqu'ici ma paresse? Sans me servir pour vivre même de mon corps, et plus oisif que le crapaud, j'ai vécu partout. Pas une famille d'Europe que je ne connaisse. — J'entends des familles comme la mienne, qui tiennent tout de la déclaration des Droits de l'Homme. — J'ai connu chaque fils de famille!

———

Si j'avais des antécédents à un point quelconque de l'histoire de France!

Mais non, rien.

Il m'est bien évident que j'ai toujours été race inférieure. Je ne puis comprendre la révolte. Ma race ne se souleva jamais que pour piller : tels les loups à la bête qu'ils n'ont pas tuée.

Je me rappelle l'histoire de la France fille aînée de l'Église. J'aurais fait, manant, le voyage de terre sainte; j'ai dans la tête des routes dans les plaines souabes, des vues de Byzance, des remparts de Solyme; le culte de Marie, l'attendrissement sur le crucifié s'éveillent en moi parmi mille féeries profanes. — Je suis assis, lépreux, sur les pots cassés et les orties, au pied d'un mur rongé par le soleil. — Plus tard, reître, j'aurais bivaqué sous les nuits d'Allemagne.

Ah! encore : je danse le sabbat dans une rouge clairière, avec des vieilles et des enfants.

Je ne me souviens pas plus loin que cette terre-ci et le christianisme. Je n'en finirais pas de me revoir dans ce passé. Mais toujours seul; sans famille; même, quelle langue parlais-je? Je ne me vois jamais dans les conseils du Christ; ni dans les conseils des Seigneurs, — représentants du Christ.

Qu'étais-je au siècle dernier : je ne me retrouve qu'aujourd'hui. Plus de vagabonds, plus de guerres vagues. La race inférieure a tout couvert — le peuple, comme on dit, la raison; la nation et la science.

Oh! la science! On a tout repris. Pour le corps et pour l'âme, — le viatique, — on a la médecine et la philosophie, — les remèdes de bonnes femmes et les chansons populaires arrangées. Et les divertissements des princes et les jeux qu'ils interdisaient! Géographie, cosmographie, mécanique, chimie!...

La science, la nouvelle noblesse! Le progrès. Le monde marche! Pourquoi ne tournerait-il pas?

C'est la vision des nombres. Nous allons à l'*Esprit*. C'est très-certain, c'est oracle, ce que je dis. Je comprends, et ne sachant m'expliquer sans paroles païennes, je voudrais me taire.

———

Le sang païen revient! L'Esprit est proche, pourquoi Christ ne m'aide-t-il pas, en donnant à mon âme noblesse et liberté. Hélas! l'Evangile a passé! l'Evangile! l'Evangile.

J'attends Dieu avec gourmandise. Je suis de race inférieure de toute éternité.

Me voici sur la plage armoricaine. Que les villes s'allument dans le soir. Ma journée est faite; je quitte l'Europe. L'air marin brûlera mes poumons; les climats perdus me tanneront. Nager, broyer l'herbe, chasser, fumer surtout; boire des liqueurs fortes comme du métal bouillant, — comme faisaient ces chers ancêtres autour des feux.

Je reviendrai, avec des membres de fer, la peau sombre,

l'œil furieux : sur mon masque, on me jugera d'une race forte. J'aurai de l'or : je serai oisif et brutal. Les femmes soignent ces féroces infirmes retour des pays chauds. Je serai mêlé aux affaires politiques. Sauvé.

Maintenant je suis maudit, j'ai horreur de la patrie. Le meilleur, c'est un sommeil bien ivre, sur la grève.

On ne part pas. — Reprenons les chemins d'ici, chargé de mon vice, le vice qui a poussé ses racines de souffrance à mon côté, dès l'âge de raison — qui monte au ciel, me bat, me renverse, me traîne.

La dernière innocence et la dernière timidité. C'est dit. Ne pas porter au monde mes dégoûts et mes trahisons.

Allons! La marche, le fardeau, le désert, l'ennui et la colère.

A qui me louer? Quelle bête faut-il adorer? Quelle sainte image attaque-t-on? Quels cœurs briserai-je? Quel mensonge dois-je tenir? — Dans quel sang marcher?

Plutôt, se garder de la justice. — La vie dure, l'abrutissement simple, — soulever, le poing desséché, le couvercle du cercueil, s'asseoir, s'étouffer. Ainsi point de vieillesse, ni de dangers : la terreur n'est pas française.

— Ah! je suis tellement délaissé que j'offre à n'importe quelle divine image des élans vers la perfection.

O mon abnégation, ô ma charité merveilleuse! ici-bas, pourtant!

De profundis Domine, suis-je bête!

Encore tout enfant, j'admirais le forçat intraitable sur qui se referme toujours le bagne; je visitais les auberges et les garnis qu'il aurait sacrés par son séjour; je voyais *avec son idée* le ciel bleu et le travail fleuri de la campagne; je flairais sa fatalité dans les villes. Il avait plus de force qu'un saint, plus de bon sens qu'un voyageur — et lui, lui seul! pour témoin de sa gloire et de sa raison.

Sur les routes, par des nuits d'hiver, sans gîte, sans habits, sans pain, une voix étreignait mon cœur gelé : « Faiblesse ou force : te voilà, c'est la force. Tu ne sais ni où tu vas ni pourquoi tu vas, entre partout, réponds à tout. On ne te tuera pas plus que si tu étais cadavre. » Au matin j'avais le regard si perdu et la contenance si morte, que ceux que j'ai rencontrés *ne m'ont peut-être pas vu.*

Dans les villes la boue m'apparaissait soudainement rouge et noire, comme une glace quand la lampe circule dans la chambre voisine, comme un trésor dans la forêt! Bonne chance, criais-je, et je voyais une mer de flammes et de fumée au ciel; et, à gauche, à droite, toutes les richesses flambant comme un milliard de tonnerres.

Mais l'orgie et la camaraderie des femmes m'étaient interdites. Pas même un compagnon. Je me voyais devant une foule exaspérée, en face du peloton d'exécution, pleurant du malheur qu'ils n'aient pu comprendre, et pardonnant! — Comme Jeanne d'Arc! — « Prêtres, professeurs, maîtres, vous vous trompez en me livrant à la justice. Je n'ai jamais été de ce peuple-ci; je n'ai jamais été chrétien; je suis de la race qui chantait dans le supplice; je ne comprends pas les lois; je n'ai pas le sens moral, je suis une brute : vous vous trompez... »

Oui, j'ai les yeux fermés à votre lumière. Je suis une bête, un nègre. Mais je puis être sauvé. Vous êtes de faux nègres, vous maniaques, féroces, avares. Marchand, tu es nègre; magistrat, tu es nègre; général, tu es nègre; empereur, vieille démangeaison, tu es nègre : tu as bu d'une liqueur non taxée, de la fabrique de Satan. — Ce peuple est inspiré par la fièvre et le cancer. Infirmes et vieillards sont tellement respectables qu'ils demandent à être bouillis. — Le plus malin est de quitter ce continent, où la folie rôde pour pourvoir d'otages ces misérables. J'entre au vrai royaume des enfants de Cham.

Connais-je encore la nature? me connais-je? — *Plus de mots.* J'ensevelis les morts dans mon ventre. Cris, tambour, danse, danse, danse, danse! Je ne vois même pas l'heure où, les blancs débarquant, je tomberai au néant.

Faim, soif, cris, danse, danse, danse, danse!

———

Les blancs débarquent. Le canon! Il faut se soumettre au baptême, s'habiller, travailler.

J'ai reçu au cœur le coup de grâce. Ah! je ne l'avais pas prévu.

Je n'ai point fait le mal. Les jours vont m'être légers, le repentir me sera épargné. Je n'aurai pas eu les tourments de l'âme presque morte au bien, où remonte la lumière sévère comme les cierges funéraires. Le sort du fils de famille, cercueil prématuré couvert de limpides larmes. Sans doute la débauche est bête, le vice est bête; il faut jeter la pourriture à l'écart. Mais l'horloge ne sera pas arrivée à ne plus sonner que l'heure de la pure douleur! Vais-je être enlevé comme un enfant, pour jouer au paradis dans l'oubli de tout le malheur!

Vite! est-il d'autres vies? — Le sommeil dans la richesse est impossible. La richesse a toujours été bien public. L'amour divin seul octroie les clefs de la science. Je vois que la nature n'est qu'un spectacle de bonté. Adieu chimères, idéals, erreurs.

Le chant raisonnable des anges s'élève du navire sauveur : c'est l'amour divin. — Deux amours! je puis mourir de l'amour terrestre, mourir de dévouement. J'ai laissé des âmes dont la peine s'accroîtra de mon départ! Vous me choisissez parmi les naufragés, ceux qui restent sont-ils pas mes amis?

Sauvez-les!

La raison m'est née. Le monde est bon. Je bénirai la vie. J'aimerai mes frères. Ce ne sont plus des promesses d'enfance. Ni l'espoir d'échapper à la vieillesse et à la mort. Dieu fait ma force, et je loue Dieu.

———————

L'ennui n'est plus mon amour. Les rages, les débauches, la folie, dont je sais tous les élans et les désastres, — tout mon fardeau est déposé. Apprécions sans vertige l'étendue de mon innocence.

Je ne serais plus capable de demander le réconfort d'une bastonnade. Je ne me crois pas embarqué pour une noce avec Jésus-Christ pour beau-père.

Je ne suis pas prisonnier de ma raison. J'ai dit : Dieu. Je veux la liberté dans le salut : comment la poursuivre? Les goûts frivoles m'ont quitté. Plus besoin de dévouement ni d'amour divin. Je ne regrette pas le siècle des cœurs sensibles. Chacun a sa raison, mépris et charité : je retiens ma place au sommet de cette angélique échelle de bon sens.

Quant au bonheur établi, domestique ou non... non, je ne peux pas. Je suis trop dissipé, trop faible. La vie fleurit par le travail, vieille vérité : moi, ma vie n'est pas assez pesante, elle s'envole et flotte loin au-dessus de l'action, ce cher point du monde.

Comme je deviens vieille fille, à manquer du courage d'aimer la mort!

Si Dieu m'accordait le calme céleste, aérien, la prière, — comme les anciens saints. — Les saints! des forts! les anachorètes, des artistes comme il n'en faut plus!

Farce continuelle! Mon innocence me ferait pleurer. La vie est la farce à mener par tous.

———

Assez! voici la punition. — *En marche!*

Ah! les poumons brûlent, les tempes grondent! la nuit roule dans mes yeux, par ce soleil! le cœur... les membres...

Où va-t-on? au combat? Je suis faible! les autres avancent. Les outils, les armes... le temps!...

Feu! feu sur moi! Là! ou je me rends. — Lâches! — Je me tue! Je me jette aux pieds des chevaux!

Ah!...

— Je m'y habituerai.

Ce serait la vie française, le sentier de l'honneur!

NUIT DE L'ENFER

J'AI avalé une fameuse gorgée de poison. — Trois fois béni soit le conseil qui m'est arrivé! — Les entrailles me brûlent. La violence du venin tord mes membres, me rend difforme, me terrasse. Je meurs de soif, j'étouffe, je ne puis crier. C'est l'enfer, l'éternelle peine! Voyez comme le feu se relève! Je brûle comme il faut. Va, démon!

J'avais entrevu la conversion au bien et au bonheur, le salut. Puis-je décrire la vision, l'air de l'enfer ne souffre pas les hymnes! C'était des millions de créatures charmantes, un suave concert spirituel, la force et la paix, les nobles ambitions, que sais-je?

Les nobles ambitions!

Et c'est encore la vie! — Si la damnation est éternelle! Un homme qui veut se mutiler est bien damné, n'est-ce pas? Je me crois en enfer, donc j'y suis. C'est l'exécution du catéchisme. Je suis esclave de mon baptême. Parents, vous avez fait mon malheur et vous avez fait le vôtre. Pauvre innocent! L'enfer ne peut attaquer les païens.

— C'est la vie encore! Plus tard, les délices de la damnation seront plus profondes. Un crime, vite, que je tombe au néant, de par la loi humaine.

Tais-toi, mais tais-toi!... C'est la honte, le reproche, ici : Satan qui dit que le feu est ignoble, que ma colère est affreusement sotte. — Assez!... Des erreurs qu'on me souffle, magies, parfums faux, musiques puériles. — Et dire que je tiens la vérité, que je vois la justice : j'ai un jugement sain et arrêté, je suis prêt pour la perfection... Orgueil. — La peau de ma tête se dessèche. Pitié! Seigneur, j'ai peur. J'ai soif, si soif! Ah! l'enfance, l'herbe, la pluie, le lac sur les pierres, *le clair de lune quand le clocher sonnait douze...* le diable est au clocher, à cette heure. Marie! Sainte-Vierge!... — Horreur de ma bêtise.

Là-bas, ne sont-ce pas des âmes honnêtes, qui me veulent du bien... Venez... J'ai un oreiller sur la bouche, elles ne m'entendent pas, ce sont des fantômes. Puis, jamais personne ne pense à autrui. Qu'on n'approche pas. Je sens le roussi, c'est certain.

Les hallucinations sont innombrables. C'est bien ce que j'ai toujours eu : plus de foi en l'histoire, l'oubli des principes. Je m'en tairai : poètes et visionnaires seraient jaloux. Je suis mille fois le plus riche, soyons avare comme la mer.

Ah çà! l'horloge de la vie s'est arrêtée tout à l'heure. Je ne suis plus au monde. — La théologie est sérieuse, l'enfer est certainement *en bas* — et le ciel en haut. — Extase, cauchemar, sommeil dans un nid de flammes.

Que de malices dans l'attention dans la campagne... Satan, Ferdinand, court avec les graines sauvages... Jésus marche sur les ronces purpurines, sans les courber... Jésus marchait sur les eaux irritées. La lanterne nous le montra debout, blanc et des tresses brunes, au flanc d'une vague d'émeraude...

Je vais dévoiler tous les mystères : mystères religieux ou naturels, mort, naissance, avenir, passé, cosmogonie, néant. Je suis maître en fantasmagories.

Écoutez!...

J'ai tous les talents! — Il n'y a personne ici et il y a

quelqu'un : je ne voudrais pas répandre mon trésor. — veut-on des chants nègres, des danses de houris? Veut-on que je disparaisse, que je plonge à la recherche de l'*anneau?* Veut-on? Je ferai de l'or, des remèdes.

Fiez-vous donc à moi, la foi soulage, guide, guérit. Tous, venez, — même les petits enfants, — que je vous console, qu'on répande pour vous son cœur, — le cœur merveilleux! — Pauvres hommes, travailleurs! Je ne demande pas de prières; avec votre confiance seulement, je serai heureux.

— Et pensons à moi. Ceci me fait peu regretter le monde. J'ai de la chance de ne pas souffrir plus. Ma vie ne fut que folies douces, c'est regrettable.

Bah! faisons toutes les grimaces imaginables.

Décidément, nous sommes hors du monde. Plus aucun son. Mon tact a disparu. Ah! mon château, ma Saxe, mon bois de saules. Les soirs, les matins, les nuits, les jours... Suis-je las!

Je devrais avoir mon enfer pour la colère, mon enfer pour l'orgueil, — et l'enfer de la caresse; un concert d'enfers.

Je meurs de lassitude. C'est le tombeau, je m'en vais aux vers, horreur de l'horreur! Satan, farceur, tu veux me dissoudre, avec tes charmes. Je réclame. Je réclame! un coup de fourche, une goutte de feu.

Ah! remonter à la vie! Jeter les yeux sur nos difformités. Et ce poison, ce baiser mille fois maudit! Ma faiblesse, la cruauté du monde! Mon Dieu, pitié, cachezmoi, je me tiens trop mal! — Je suis caché et je ne le suis pas.

C'est le feu qui se relève avec son damné.

DÉLIRES

I

VIERGE FOLLE

L'ÉPOUX INFERNAL

Ecoutons la confession d'un compagnon d'enfer :

« O divin Epoux, mon Seigneur, ne refusez pas la confession de la plus triste de vos servantes. Je suis perdue. Je suis soûle. Je suis impure. Quelle vie!

« Pardon, divin Seigneur, pardon! Ah! pardon! Que de larmes! Et que de larmes encore plus tard, j'espère!

« Plus tard, je connaîtrai le divin Epoux! Je suis née soumise à Lui. — L'autre peut me battre maintenant!

« A présent, je suis au fond du monde! O mes amies!... non, pas mes amies... Jamais délires ni tortures semblables... Est-ce bête!

« Ah! je souffre, je crie. Je souffre vraiment. Tout pourtant m'est permis, chargée du mépris des plus méprisables cœurs.

« Enfin, faisons cette confidence, quitte à la répéter vingt autres fois, — aussi morne, aussi insignifiante!

« Je suis esclave de l'Epoux infernal, celui qui a perdu les vierges folles. C'est bien ce démon-là. Ce n'est pas un spectre, ce n'est pas un fantôme. Mais moi qui ai perdu la sagesse, qui suis damnée et morte au monde, — on ne me tuera pas! — Comment vous le décrire! Je ne sais même plus parler. Je suis en deuil, je pleure, j'ai peur. Un peu de fraîcheur, Seigneur, si vous voulez, si vous voulez bien!

« Je suis veuve... — J'étais veuve... — mais oui, j'ai été bien sérieuse jadis, et je ne suis pas née pour devenir squelette!... — Lui était presque un enfant... Ses délicatesses mystérieuses m'avaient séduite. J'ai oublié tout mon devoir humain pour le suivre. Quelle vie! La vraie vie est absente. Nous ne sommes pas au monde. Je vais où il va, il le faut. Et souvent il s'emporte contre moi, *moi, la pauvre âme*. Le Démon! — C'est un Démon, vous savez, *ce n'est pas un homme*.

« Il dit : « Je n'aime pas les femmes. L'amour est à réinventer, on le sait. Elles ne peuvent plus que vouloir une position assurée. La position gagnée, cœur et beauté sont mis de côté : il ne reste que froid dédain, l'aliment du mariage, aujourd'hui. Ou bien je vois des femmes, avec les signes du bonheur, dont, moi, j'aurais pu faire de bonnes camarades, dévorées tout d'abord par des brutes sensibles comme des bûchers... »

« Je l'écoute faisant de l'infamie une gloire, de la cruauté un charme. « Je suis de race lointaine : mes pères étaient Scandinaves : ils se perçaient les côtes, buvaient leur sang. — Je me ferai des entailles par tout le corps, je me tatouerai, je veux devenir hideux comme un Mongol : tu verras, je hurlerai dans les rues. Je veux devenir bien fou de rage. Ne me montre jamais de bijoux, je ramperais et me tordrais sur le tapis. Ma richesse, je la voudrais tachée de sang partout. Jamais je ne travaillerai... » Plusieurs nuits, son démon me saisissant, nous nous roulions, je luttais avec lui! — Les nuits, souvent, ivre, il se poste dans des rues ou dans des maisons, pour m'épouvanter mortellement. — « On me coupera vraiment le cou; ce sera dégoûtant. » Oh! ces jours où il veut marcher avec l'air du crime!

« Parfois il parle, en une façon de patois attendri, de la mort qui fait repentir, des malheureux qui existent certainement, des travaux pénibles, des départs qui déchirent les cœurs. Dans les bouges où nous nous enivrions, il pleurait en considérant ceux qui nous entouraient, bétail de la misère. Il relevait les ivrognes dans les rues noires. Il avait la pitié d'une mère méchante pour les petits enfants. — Il s'en allait avec des gentillesses de petite fille au catéchisme. — Il feignait d'être éclairé sur tout, commerce, art, médecine. — Je le suivais, il le faut!

« Je voyais tout le décor dont, en esprit, il s'entourait; vêtements, draps, meubles : je lui prêtais des armes, une autre figure. Je voyais tout ce qui le touchait, comme il aurait voulu le créer pour lui. Quand il me semblait avoir l'esprit inerte, je le suivais, moi, dans des actions étranges et compliquées, loin, bonnes ou mauvaises : j'étais sûre de ne jamais entrer dans son monde. A côté de son cher corps endormi, que d'heures des nuits j'ai veillé, cherchant pourquoi il voulait tant s'évader de la réalité. Jamais homme n'eut pareil vœu. Je reconnaissais, — sans craindre pour lui, — qu'il pouvait être un sérieux danger dans la société. — Il a peut-être des secrets pour *changer la vie?* Non, il ne fait qu'en chercher, me répliquais-je. Enfin sa charité est ensorcelée, et j'en suis la prisonnière. Aucune autre âme n'aurait assez de force, — force de désespoir! — pour la supporter, — pour être protégée et aimée par lui. D'ailleurs, je ne me le figurais pas avec une autre âme : on voit son Ange, jamais l'Ange d'un autre, — je crois. J'étais dans son âme comme dans un palais qu'on a vidé pour ne pas voir une personne si peu noble que vous : voilà tout. Hélas! je dépendais bien de lui. Mais que voulait-il avec mon existence terne et lâche? Il ne me rendait pas meilleure, s'il ne me faisait pas mourir! Tristement dépitée, je lui dis quelquefois : « Je te comprends. » Il haussait les épaules.

« Ainsi, mon chagrin se renouvelant sans cesse, et me trouvant plus égarée à mes yeux, — comme à tous les yeux qui auraient voulu me fixer, si je n'eusse été condamnée pour jamais à l'oubli de tous! — j'avais de plus en plus faim de sa bonté. Avec ses baisers et ses étreintes amies, c'était bien un ciel, un sombre ciel, où j'entrais, et où j'aurais voulu être laissée, pauvre, sourde, muette, aveugle. Déjà j'en prenais l'habitude. Je nous voyais comme deux bons enfants, libres de se promener dans le Paradis de tristesse. Nous nous accordions. Bien émus, nous travaillions ensemble. Mais, après une pénétrante caresse, il disait : « Comme ça te paraîtra drôle, quand je n'y serai plus, ce par quoi tu as passé. Quand tu n'auras plus mes bras sous ton cou, ni mon cœur pour t'y reposer, ni cette bouche sur tes yeux. Parce qu'il faudra que je m'en aille, très loin, un jour. Puis il faut que j'en aide d'autres : c'est mon devoir. Quoique ce ne soit guère ragoûtant..., chère âme... » Tout de suite je me pressentais, lui parti, en proie au vertige, précipitée dans l'ombre la plus affreuse : la mort. Je lui faisais promettre qu'il ne me lâcherait pas. Il l'a faite vingt fois, cette promesse d'amant. C'était aussi frivole que moi lui disant : « Je te comprends. »

« Ah! je n'ai jamais été jalouse de lui. Il ne me quittera pas, je crois. Que devenir? Il n'a pas une connaissance, il ne travaillera jamais. Il veut vivre somnambule. Seules, sa bonté et sa charité lui donneraient-elles droit dans le monde réel? Par instants, j'oublie la pitié où je suis tombée : lui me rendra forte, nous voyagerons, nous chasserons dans les déserts, nous dormirons sur les pavés des villes inconnues, sans soins, sans peines. Ou je me réveillerai, et les lois et les mœurs auront changé, — grâce à son pouvoir magique, — le monde, en restant le même, me laissera à mes désirs, joies, nonchalances. Oh! la vie d'aventures qui existe dans les livres des enfants, pour me récompenser, j'ai tant souffert, me la donneras-tu? Il ne peut pas. J'ignore son idéal. Il m'a dit avoir des regrets, des espoirs : cela ne doit pas me regarder. Parle-t-il à Dieu? Peut-être devrais-je m'adresser à Dieu. Je suis au plus profond de l'abîme, et je ne sais plus prier.

« S'il m'expliquait ses tristesses, les comprendrais-je plus que ses railleries? Il m'attaque, il passe des heures à me faire honte de tout ce qui m'a pu toucher au monde, et s'indigne si je pleure.

« — Tu vois cet élégant jeune homme, entrant dans la belle et calme maison : il s'appelle Duval, Dufour, Armand, Maurice, que sais-je? Une femme s'est dévouée à aimer ce méchant idiot : elle est morte, c'est certes une sainte au ciel, à présent. Tu me feras mourir comme il a fait mourir cette femme. C'est notre sort, à nous, cœurs charitables... » Hélas! il avait des jours où tous les hommes agissant lui paraissaient les jouets de délires grotesques; il riait affreusement, longtemps. — Puis, il reprenait ses manières de jeune mère, de sœur aimée. S'il était moins sauvage, nous serions sauvés! Mais sa douceur aussi est mortelle. Je lui suis soumise. — Ah! je suis folle!

« Un jour peut-être il disparaîtra merveilleusement; mais il faut que je sache, s'il doit remonter à un ciel, que je voie un peu l'assomption de mon petit ami! »

Drôle de ménage!

DÉLIRES

II

ALCHIMIE DU VERBE

A MOI. L'histoire d'une de mes folies.

Depuis longtemps je me vantais de posséder tous les paysages possibles, et trouvais dérisoires les célébrités de la peinture et de la poésie moderne.

J'aimais les peintures idiotes, dessus de portes, décors, toiles de saltimbanques, enseignes, enluminures populaires; la littérature démodée, latin d'église, livres érotiques sans orthographe, romans de nos aïeules, contes de fées, petits livres de l'enfance, opéras vieux, refrains niais, rhythmes naïfs.

Je rêvais croisades, voyages de découvertes dont on n'a pas de relations, républiques sans histoires, guerres de religion étouffées, révolutions de mœurs, déplacements de races et de continents : je croyais à tous les enchantements.

J'inventai la couleur des voyelles! — A noir, E blanc, I rouge, O bleu, U vert. — Je réglai la forme et le mouvement de chaque consonne, et, avec des rhythmes instinctifs, je me flattai d'inventer un verbe poétique accessible, un jour ou l'autre, à tous les sens. Je réservais la traduction.

Ce fut d'abord une étude. J'écrivais des silences, des nuits, je notais l'inexprimable. Je fixais des vertiges.

Loin des oiseaux, des troupeaux, des villageoises,
Que buvais-je, à genoux dans cette bruyère
Entourée de tendres bois de noisetiers,
Dans un brouillard d'après-midi tiède et vert?

Que pouvais-je boire dans cette jeune Oise,
— Ormeaux sans voix, gazon sans fleurs, ciel couvert! —
Boire à ces gourdes jaunes, loin de ma case
Chérie? Quelque liqueur d'or qui fait suer.

Je faisais une louche enseigne d'auberge.
— Un orage vint chasser le ciel. Au soir
L'eau des bois se perdait sur les sables vierges,
Le vent de Dieu jetait des glaçons aux mares;

Pleurant, je voyais de l'or — et ne pus boire. —

———

A quatre heures du matin, l'été
Le sommeil d'amour dure encore.
Sous les bocages s'évapore
    L'odeur du soir fêté.

Là-bas, dans leur vaste chantier
Au soleil des Hespérides,
Déjà s'agitent — en bras de chemise —
    Les Charpentiers.

Dans leurs Déserts de mousse, tranquilles,
Ils préparent les lambris précieux
        Où la ville
    Peindra de faux cieux.

O, pour ces Ouvriers charmants
Sujets d'un roi de Babylone,
Vénus! quitte un instant les Amants
    Dont l'âme est en couronne.

    O Reine des Bergers,
Porte aux travailleurs l'eau-de-vie,
Que leurs forces soient en paix
En attendant le bain dans la mer à midi.

———

La vieillerie poétique avait une bonne part dans mon alchimie du verbe.

Je m'habituai à l'hallucination simple : je voyais très franchement une mosquée à la place d'une usine, une école de tambours faite par des anges, des calèches sur les routes du ciel, un salon au fond d'un lac; les monstres, les mystères; un titre de vaudeville dressait des épouvantes devant moi.

Puis j'expliquai mes sophismes magiques avec l'hallucination des mots!

Je finis par trouver sacré le désordre de mon esprit. J'étais oisif, en proie à une lourde fièvre : j'enviais la félicité des bêtes, — les chenilles, qui représentent l'innocence des limbes, les taupes, le sommeil de la virginité!

Mon caractère s'aigrissait. Je disais adieu au monde dans d'espèces de romances :

CHANSON DE LA PLUS HAUTE TOUR

Qu'il vienne, qu'il vienne,
Le temps dont on s'éprenne.

J'ai tant fait patience
Qu'à jamais j'oublie.
Craintes et souffrances
Aux cieux sont parties.
Et la soif malsaine
Obscurcit mes veines.

Qu'il vienne, qu'il vienne,
Le temps dont on s'éprenne.

Telle la prairie
A l'oubli livrée,
Grandie, et fleurie
D'encens et d'ivraie,
Au bourdon farouche
Des sales mouches.

Qu'il vienne, qu'il vienne,
Le temps dont on s'éprenne.

J'aimai le désert, les vergers brûlés, les boutiques fanées, les boissons tiédies. Je me traînais dans les ruelles puantes et, les yeux fermés, je m'offrais au soleil, dieu de feu.

« Général, s'il reste un vieux canon sur tes remparts en ruines, bombarde-nous avec des blocs de terre sèche. Aux glaces des magasins splendides! dans les salons! Fais manger sa poussière à la ville. Oxyde les gargouilles. Emplis les boudoirs de poudre de rubis brûlante... »

Oh! le moucheron enivré à la pissotière de l'auberge, amoureux de la bourrache, et que dissout un rayon!

Si j'ai du goût, ce n'est guère
Que pour la terre et les pierres.
Je déjeune toujours d'air,
De roc, de charbons, de fer.

Mes faims, tournez. Paissez, faims,
    Le pré des sons.
Attirez le gai venin
    Des liserons.

Mangez les cailloux qu'on brise,
Les vieilles pierres d'églises;
Les galets des vieux déluges,
Pains semés dans les vallées grises.

———

Le loup criait sous les feuilles
En crachant les belles plumes
De son repas de volailles :
Comme lui je me consume.

Les salades, les fruits
N'attendent que la cueillette;
Mais l'araignée de la haie
Ne mange que des violettes.

Que je dorme! que je bouille
Aux autels de Salomon.
Le bouillon court sur la rouille,
Et se mêle au Cédron.

Enfin, ô bonheur, ô raison, j'écartai du ciel l'azur, qui
est du noir, et je vécus, étincelle d'or de la lumière *nature*.
De joie, je prenais une expression bouffonne et égarée au
possible :

    Elle est retrouvée!
    Quoi? l'éternité.
    C'est la mer mêlée
      Au soleil.

Mon âme éternelle,
Observe ton vœu
Malgré la nuit seule
Et le jour en feu.

Donc tu te dégages
Des humains suffrages,
Des communs élans!
Tu voles selon...

— Jamais l'espérance,
   Pas d'*orietur*.
Science et patience,
Le supplice est sûr.

Plus de lendemain,
Braises de satin,
   Votre ardeur
   Est le devoir.

Elle est retrouvée!
— Quoi? — l'Eternité.
C'est la mer mêlée
   Au soleil.

———————

Je devins un opéra fabuleux : je vis que tous les êtres
ont une fatalité de bonheur : l'action n'est pas la vie, mais
une façon de gâcher quelque force, un énervement. La
morale est la faiblesse de la cervelle.

A chaque être, plusieurs *autres* vies me semblaient dues.
Ce monsieur ne sait ce qu'il fait : il est un ange. Cette
famille est une nichée de chiens. Devant plusieurs
hommes, je causai tout haut avec un moment d'une de
leurs autres vies. — Ainsi, j'ai aimé un porc.

Aucun des sophismes de la folie, — la folie qu'on en-
ferme, — n'a été oublié par moi : je pourrais les redire
tous, je tiens le système.

Ma santé fut menacée. La terreur venait. Je tombais
dans des sommeils de plusieurs jours, et, levé, je conti-
nuais les rêves les plus tristes. J'étais mûr pour le trépas,
et par une route de dangers ma faiblesse me menait aux
confins du monde et de la Cimmérie, patrie de l'ombre
et des tourbillons.

Je dus voyager, distraire les enchantements assemblés sur mon cerveau. Sur la mer, que j'aimais comme si elle eût dû me laver d'une souillure, je voyais se lever la croix consolatrice. J'avais été damné par l'arc-en-ciel. Le Bonheur était ma fatalité, mon remords, mon ver : ma vie serait toujours trop immense pour être dévouée à la force et à la beauté.

Le Bonheur! Sa dent, douce à la mort, m'avertissait au chant du coq, — *ad matutinum,* au *Christus venit,* — dans les plus sombres villes.

> O saisons, ô châteaux!
> Quelle âme est sans défauts?
>
> J'ai fait la magique étude
> Du bonheur, qu'aucun n'élude.
>
> Salut à lui, chaque fois
> Que chante le coq gaulois.
>
> Ah! je n'aurai plus d'envie :
> Il s'est chargé de ma vie.
>
> Ce charme a pris âme et corps
> Et dispersé les efforts.
>
> O saisons, ô châteaux!
>
> L'heure de sa fuite, hélas!
> Sera l'heure du trépas.
>
> O saisons, ô châteaux!

———

Cela s'est passé. Je sais aujourd'hui saluer la beauté.

L'IMPOSSIBLE

Ah! cette vie de mon enfance, la grande route par tous les temps, sobre surnaturellement, plus désintéressé que le meilleur des mendiants, fier de n'avoir ni pays, ni

amis, quelle sottise c'était. — Et je m'en aperçois seulement!

— J'ai eu raison de mépriser ces bonshommes qui ne
perdraient pas l'occasion d'une caresse, parasites de la
propreté et de la santé de nos femmes, aujourd'hui
qu'elles sont si peu d'accord avec nous.

J'ai eu raison dans tous mes dédains : puisque je
m'évade!

Je m'évade!

Je m'explique.

Hier encore, je soupirais : « Ciel! sommes-nous assez de
damnés ici-bas! Moi j'ai tant de temps déjà dans leur
troupe! Je les connais tous. Nous nous reconnaissons toujours; nous nous dégoûtons. La charité nous est inconnue.
Mais nous sommes polis; nos relations avec le monde sont
très-convenables. » Est-ce étonnant? Le monde! les marchands, les naïfs! — Nous ne sommes pas déshonorés. —
Mais les élus, comment nous recevraient-ils? Or il y a des
gens hargneux et joyeux, de faux élus, puisqu'il nous faut
de l'audace ou de l'humilité pour les aborder. Ce sont les
seuls élus. Ce ne sont pas des bénisseurs!

M'étant retrouvé deux sous de raison — ça passe vite!
— je vois que mes malaises viennent de ne m'être pas
figuré assez tôt que nous sommes à l'Occident. Les marais
occidentaux! Non que je croie la lumière altérée, la forme
exténuée, le mouvement égaré... Bon! voici que mon esprit
veut absolument se charger de tous les développements
cruels qu'a subis l'esprit depuis la fin de l'Orient... Il en
veut, mon esprit!

... Mes deux sous de raison sont finis! — L'esprit est
autorité, il veut que je sois en Occident. Il faudrait le
faire taire pour conclure comme je voulais.

J'envoyais au diable les palmes des martyrs, les rayons
de l'art, l'orgueil des inventeurs, l'ardeur des pillards; je
retournais à l'Orient et à la sagesse première et éternelle.
— Il paraît que c'est un rêve de paresse grossière!

Pourtant, je ne songeais guère au plaisir d'échapper aux
souffrances modernes. Je n'avais pas en vue la sagesse
bâtarde du Coran. — Mais n'y a-t-il pas un supplice réel
en ce que, depuis cette déclaration de la science, le christianisme, l'homme *se joue*, se prouve les évidences, se
gonfle du plaisir de répéter des preuves, et ne vit que

comme cela! Torture subtile, niaise; source de mes divagations spirituelles. La nature pourrait s'ennuyer, peut-être! M. Prudhomme est né avec le Christ.

N'est-ce pas parce que nous cultivons la brume! Nous mangeons la fièvre avec nos légumes aqueux. Et l'ivrognerie! et le tabac! et l'ignorance! et les dévouements! — Tout cela est-il assez loin de la pensée de la sagesse de l'Orient, la patrie primitive? Pourquoi un monde moderne, si de pareils poisons s'inventent!

Les gens d'Eglise diront : C'est compris. Mais vous voulez parler de l Eden. Rien pour vous dans l'histoire des peuples orientaux. — C'est vrai; c'est à l'Eden que je songeais! Qu'est-ce que c'est pour mon rêve, cette pureté des races antiques!

Les philosophes : Le monde n'a pas d'âge. L'humanité se déplace, simplement. Vous êtes en Occident, mais libre d'habiter dans votre Orient, quelque ancien qu'il vous le faille, — et d'y habiter bien. Ne soyez pas un vaincu. Philosophes, vous êtes de votre Occident.

Mon esprit, prends garde. Pas de partis de salut violents. Exerce-toi! — Ah! la science ne va pas assez vite pour nous!

— Mais je m'aperçois que mon esprit dort.

S'il était bien éveillé toujours à partir de ce moment, nous serions bientôt à la vérité, qui peut-être nous entoure avec ses anges pleurant!... — S'il avait été éveillé jusqu'à ce moment-ci, c'est que je n'aurais pas cédé aux instincts délétères, à une époque immémoriale!... — S'il avait toujours été bien éveillé, je voguerais en pleine sagesse!...

O pureté! pureté!

C'est cette minute d'éveil qui m'a donné la vision de la pureté! — Par l'esprit on va à Dieu!

Déchirante infortune!

L'ÉCLAIR

LE travail humain! c'est l'explosion qui éclaire mon abîme de temps en temps.

« Rien n'est vanité; à la science, et en avant! » crie

l'Ecclésiaste moderne, c'est-à-dire *Tout le monde*. Et pourtant les cadavres des méchants et des fainéants tombent sur le cœur des autres... Ah! vite, vite un peu; là-bas, par delà la nuit, ces récompenses futures, éternelles... les échappons-nous?...

— Qu'y puis-je? Je connais le travail; et la science est trop lente. Que la prière galope et que la lumière gronde... je le vois bien. C'est trop simple, et il fait trop chaud; on se passera de moi. J'ai mon devoir, j'en serai fier à la façon de plusieurs, en le mettant de côté.

Ma vie est usée. Allons! feignons, fainéantons, ô pitié! Et nous existerons en nous amusant, en rêvant amours monstres et univers fantastiques, en nous plaignant et en querellant les apparences du monde, saltimbanque, mendiant, artiste, bandit, — prêtre! Sur mon lit d'hôpital, l'odeur de l'encens m'est revenue si puissante; gardien des aromates sacrés, confesseur, martyr...

Je reconnais là ma sale éducation d'enfance. Puis quoi!... Aller mes vingt ans, si les autres vont vingt ans...

Non! non! à présent je me révolte contre la mort! Le travail paraît trop léger à mon orgueil : ma trahison au monde serait un supplice trop court. Au dernier moment, j'attaquerais à droite, à gauche...

Alors, — oh! chère pauvre âme, l'éternité serait-elle pas perdue pour nous!

MATIN

N'eus-je pas *une fois* une jeunesse aimable, héroïque, fabuleuse, à écrire sur des feuilles d'or, — trop de chance! Par quel crime, par quelle erreur, ai-je mérité ma faiblesse actuelle? Vous qui prétendez que des bêtes poussent des sanglots de chagrin, que des malades désespèrent, que des morts rêvent mal, tâchez de raconter ma chute et mon sommeil. Moi, je ne puis pas plus m'expliquer que le mendiant avec ses continuels *Pater* et *Ave Maria. Je ne sais plus parler!*

Pourtant, aujourd'hui, je crois avoir fini la relation de mon enfer. C'était bien l'enfer; l'ancien, celui dont le fils de l'homme ouvrit les portes.

Du même désert, à la même nuit, toujours mes yeux las se réveillent à l'étoile d'argent, toujours, sans que s'émeuvent les Rois de la vie, les trois mages, le cœur, l'âme, l'esprit. Quand irons-nous, par delà les grèves et les monts, saluer la naissance du travail nouveau, la sagesse nouvelle, la fuite des tyrans et des démons, la fin de la superstition, adorer — les premiers! — Noël sur la terre!

Le chant des cieux, la marche des peuples! Esclaves, ne maudissons pas la vie.

ADIEU

L'AUTOMNE déjà! — Mais pourquoi regretter un éternel soleil, si nous sommes engagés à la découverte de la clarté divine, — loin des gens qui meurent sur les saisons.

L'automne. Notre barque élevée dans les brumes immobiles tourne vers le port de la misère, la cité énorme au ciel taché de feu et de boue. Ah! les haillons pourris, le pain trempé de pluie, l'ivresse, les mille amours qui m'ont crucifié! Elle ne finira donc point cette goule reine de millions d'âmes et de corps morts *et qui seront jugés!* Je me revois la peau rongée par la boue et la peste, des vers plein les cheveux et les aisselles et encore de plus gros vers dans le cœur, étendu parmi les inconnus sans âge, sans sentiment... J'aurais pu y mourir... L'affreuse évocation! J'exècre la misère.

Et je redoute l'hiver parce que c'est la saison du comfort!

— Quelquefois je vois au ciel des plages sans fin couvertes de blanches nations en joie. Un grand vaisseau d'or, au-dessus de moi, agite ses pavillons multicolores sous les brises du matin. J'ai créé toutes les fêtes, tous les triomphes, tous les drames. J'ai essayé d'inventer de nouvelles fleurs, de nouveaux astres, de nouvelles chairs, de nouvelles langues. J'ai cru acquérir des pouvoirs surnaturels. Eh bien! je dois enterrer mon imagination et mes souvenirs! Une belle gloire d'artiste et de conteur emportée!

Moi! moi qui me suis dit mage ou ange, dispensé de toute morale, je suis rendu au sol, avec un devoir à chercher, et la réalité rugueuse à étreindre! Paysan!

Suis-je trompé? la charité serait-elle sœur de la mort, pour moi?

Enfin, je demanderai pardon pour m'être nourri de mensonge. Et allons.

Mais pas une main amie! et où puiser le secours?

———

Oui, l'heure nouvelle est au moins très-sévère.

Car je puis dire que la victoire m'est acquise : les grincements de dents, les sifflements de feu, les soupirs empestés se modèrent. Tous les souvenirs immondes s'effacent. Mes derniers regrets détalent, — des jalousies pour les mendiants, les brigands, les amis de la mort, les arriérés de toutes sortes. — Damnés, si je me vengeais!

Il faut être absolument moderne.

Point de cantiques : tenir le pas gagné. Dure nuit! le sang séché fume sur ma face, et je n'ai rien derrière moi, que cet horrible arbrisseau!... Le combat spirituel est aussi brutal que la bataille d'hommes; mais la vision de la justice est le plaisir de Dieu seul.

Cependant c'est la veille. Recevons tous les influx de vigueur et de tendresse réelle. Et à l'aurore, armés d'une ardente patience, nous entrerons aux splendides villes.

Que parlais-je de main amie! Un bel avantage, c'est que je puis rire des vieilles amours mensongères, et frapper de honte ces couples menteurs, — j'ai vu l'enfer des femmes là-bas; — et il me sera loisible de *posséder la vérité dans une âme et un corps.*

Avril-août, 1873.

LES ILLUMINATIONS

Poèmes en prose, publiés d'abord à l'insu de l'auteur, en 1886. Texte conforme aux manuscrits originaux.

APRÈS LE DÉLUGE

Aussitôt que l'idée du Déluge se fut rassise,

Un lièvre s'arrêta dans les sainfoins et les clochettes mouvantes et dit sa prière à l'arc-en-ciel à travers la toile de l'araignée.

Oh! les pierres précieuses qui se cachaient, — les fleurs qui regardaient déjà.

Dans la grande rue sale les étals se dressèrent, et l'on tira les barques vers la mer étagée là-haut comme sur les gravures.

Le sang coula, chez Barbe-Bleue, — aux abattoirs, — dans les cirques, où le sceau de Dieu blêmit les fenêtres. Le sang et le lait coulèrent.

Les castors bâtirent. Les « mazagrans » fumèrent dans les estaminets.

Dans la grande maison de vitres encore ruisselante les enfants en deuil regardèrent les merveilleuses images.

Une porte claqua, — et sur la place du hameau, l'enfant tourna ses bras, compris des girouettes et des coqs des clochers de partout, sous l'éclatante giboulée.

Madame*** établit un piano dans les Alpes. La messe et les premières communions se célébrèrent aux cent mille autels de la cathédrale.

Les caravanes partirent. Et le Splendide-Hôtel fut bâti dans le chaos de glaces et de nuit du pôle.

Depuis lors, la Lune entendit les chacals piaulant par les déserts de thym, — et les églogues en sabots grognant dans le verger. Puis, dans la futaie violette, bourgeonnante, Eucharis me dit que c'était le printemps.

— Sourds, étang, — Ecume, roule sur le pont et pardessus les bois; — draps noirs et orgues, — éclairs et tonnerre, — montez et roulez; — Eaux et tristesses, montez et relevez les Déluges.

Car depuis qu'ils se sont dissipés, — oh! les pierres précieuses s'enfouissant, et les fleurs ouvertes! — c'est un ennui! et la Reine, la Sorcière qui allume sa braise dans le pot de terre, ne voudra jamais nous raconter ce qu'elle sait, et que nous ignorons.

ENFANCE

I

CETTE idole, yeux noirs et crin jaune, sans parents ni cour, plus noble que la fable, mexicaine et flamande; son domaine, azur et verdure insolents, court sur des plages nommées par des vagues sans vaisseaux, de noms férocement grecs, slaves, celtiques.

A la lisière de la forêt, — les fleurs de rêve tintent, éclatent, éclairent, — la fille à lèvre d'orange, les genoux croisés dans le clair déluge qui sourd des prés, nudité qu'ombrent, traversent et habillent les arcs-en-ciel, la flore, la mer.

Dames qui tournoient sur les terrasses voisines de la mer; enfantes et géantes, superbes noires dans la mousse vert-de-gris, bijoux debout sur le sol gras des bosquets et des jardinets dégelés, — jeunes mères et grandes sœurs aux regards pleins de pèlerinages, sultanes, princesses de démarche et de costume tyranniques, petites étrangères et personnes doucement malheureuses.

Quel ennui, l'heure du « cher corps » et « cher cœur ».

II

C'est elle, la petite morte, derrière les rosiers. — La jeune maman trépassée descend le perron. — La calèche du cousin crie sur le sable. — Le petit frère (il est aux

Indes!) là, devant le couchant, sur le pré d'œillets. — Les vieux qu'on a enterrés tout droits dans le rempart aux giroflées.

L'essaim des feuilles d'or entoure la maison du général. Ils sont dans le midi. — On suit la route rouge pour arriver à l'auberge vide. Le château est à vendre; les persiennes sont détachées. — Le curé aura emporté la clef de l'église. — Autour du parc, les loges des gardes sont inhabitées. Les palissades sont si hautes qu'on ne voit que les cimes bruissantes. D'ailleurs il n'y a rien à voir là-dedans.

Les prés remontent aux hameaux sans coqs, sans enclumes. L'écluse est levée. O les calvaires et les moulins du désert, les îles et les meules!

Des fleurs magiques bourdonnaient. Les talus le berçaient. Des bêtes d'une élégance fabuleuse circulaient. Les nuées s'amassaient sur la haute mer faite d'une éternité de chaudes larmes.

III

Au bois, il y a un oiseau, son chant vous arrête et vous fait rougir.

Il y a une horloge qui ne sonne pas.

Il y a une fondrière avec un nid de bêtes blanches.

Il y a une cathédrale qui descend et un lac qui monte.

Il y a une petite voiture abandonnée dans le taillis, ou qui descend le sentier en courant, enrubannée.

Il y a une troupe de petits comédiens en costumes, aperçus sur la route à travers la lisière du bois.

Il y a enfin, quand l'on a faim et soif, quelqu'un qui vous chasse.

IV

Je suis le saint, en prière sur la terrasse, — comme les bêtes pacifiques paissent jusqu'à la mer de Palestine.

Je suis le savant au fauteuil sombre. Les branches et la pluie se jettent à la croisée de la bibliothèque.

Je suis le piéton de la grand'route par les bois nains; la rumeur des écluses couvre mes pas. Je vois longtemps la mélancolique lessive d'or du couchant.

Je serais bien l'enfant abandonné sur la jetée partie à la haute mer, le petit valet suivant l'allée dont le front touche le ciel.

Les sentiers sont âpres. Les monticules se couvrent de genêts. L'air est immobile. Que les oiseaux et les sources sont loin! Ce ne peut être que la fin du monde, en avançant.

V

Qu'on me loue enfin ce tombeau, blanchi à la chaux avec les lignes du ciment en relief, — très loin sous terre.

Je m'accoude à la table, la lampe éclaire très vivement ces journaux que je suis idiot de relire, ces livres sans intérêt. —

A une distance énorme au-dessus de mon salon souterrain, les maisons s'implantent, les brumes s'assemblent. La boue est rouge ou noire. Ville monstrueuse, nuit sans fin!

Moins haut, sont des égouts. Aux côtés, rien que l'épaisseur du globe. Peut-être les gouffres d'azur, des puits de feu. C'est peut-être sur ces plans que se rencontrent lunes et comètes, mers et fables.

Aux heures d'amertume je m'imagine des boules de saphir, de métal. Je suis maître du silence. Pourquoi une apparence de soupirail blêmirait-elle au coin de la voûte?

CONTE

Un Prince était vexé de ne s'être employé jamais qu'à la perfection des générosités vulgaires. Il prévoyait d'étonnantes révolutions de l'amour, et soupçonnait ses femmes de pouvoir mieux que cette complaisance agrémentée de ciel et de luxe. Il voulait voir la vérité, l'heure du désir et de la satisfaction essentiels. Que ce fût ou non une aberration de piété, il voulut. Il possédait au moins un assez large pouvoir humain.

Toutes les femmes qui l'avaient connu furent assassinées. Quel saccage du jardin de la beauté! Sous le sabre, elles le bénirent. Il n'en commanda point de nouvelles. — Les femmes réapparurent.

Il tua tous ceux qui le suivaient, après la chasse ou les libations. — Tous le suivaient.

Il s'amusa à égorger les bêtes de luxe. Il fit flamber les palais. Il se ruait sur les gens et les taillait en pièces. — La foule, les toits d'or, les belles bêtes existaient encore.

Peut-on s'extasier dans la destruction, se rajeunir par la cruauté! Le peuple ne murmura pas. Personne n'offrit le concours de ses vues.

Un soir il galopait fièrement. Un Génie apparut, d'une beauté ineffable, inavouable même. De sa physionomie et de son maintien ressortait la promesse d'un amour multiple et complexe! d'un bonheur indicible, insupportable même! Le Prince et le Génie s'anéantirent probablement dans la santé essentielle. Comment n'auraient-ils pas pu en mourir? Ensemble donc ils moururent.

Mais ce Prince décéda, dans son palais, à un âge ordinaire. Le prince était le Génie. Le Génie était le Prince.

La musique savante manque à notre désir.

PARADE

Des drôles très solides. Plusieurs ont exploité vos mondes. Sans besoins, et peu pressés de mettre en œuvre leurs brillantes facultés et leur expérience de vos consciences. Quels hommes mûrs! Des yeux hébétés à la façon de la nuit d'été, rouges et noirs, tricolores, d'acier piqué d'étoiles d'or; des facies déformés, plombés, blêmis, incendiés; des enrouements folâtres! La démarche cruelle des oripeaux! — Il y a quelques jeunes, — comment regarderaient-ils Chérubin? — pourvus de voix effrayantes et de quelques ressources dangereuses. On les envoie prendre du dos en ville, affublés d'un *luxe* dégoûtant.

O le plus violent Paradis de la grimace enragée! Pas de comparaison avec vos Fakirs et les autres bouffonneries scéniques. Dans des costumes improvisés avec le goût du mauvais rêve ils jouent des complaintes, des tragédies de malandrins et de demi-dieux spirituels comme l'histoire ou les religions ne l'ont jamais été. Chinois, Hottentots, bohémiens, niais, hyènes, Molochs, vieilles démences, démons sinistres, ils mêlent les tours populaires, maternels, avec les poses et les tendresses bestiales. Ils interpréteraient des pièces nouvelles et des chansons « bonnes filles ». Maîtres jongleurs, ils transforment le lieu et les personnes et usent de la comédie magnétique. Les yeux flambent, le sang chante, les os s'élargissent, les larmes et des filets rouges ruissellent. Leur raillerie ou leur terreur dure une minute, ou des mois entiers.

J'ai seul la clef de cette parade sauvage.

ANTIQUE

Gracieux fils de Pan! Autour de ton front couronné de fleurettes et de baies tes yeux, des boules précieuses, remuent. Tachées de lies brunes, tes joues se creusent. Tes crocs luisent. Ta poitrine ressemble à une cithare, des tintements circulent dans tes bras blonds. Ton cœur bat dans ce ventre où dort le double sexe. Promène-toi, la nuit, en mouvant doucement cette cuisse, cette seconde cuisse et cette jambe de gauche.

BEING BEAUTEOUS

DEVANT une neige un Etre de Beauté de haute taille. Des sifflements de mort et des cercles de musique sourde font monter, s'élargir et trembler comme un spectre ce corps adoré; des blessures écarlates et noires éclatent dans les chairs superbes. Les couleurs propres de la vie se foncent, dansent, et se dégagent autour de la Vision, sur le chantier. Et les frissons s'élèvent et grondent, et la saveur forcenée de ces effets se chargeant avec les sifflements mortels et les rauques musiques que le monde, loin derrière nous, lance sur notre mère de beauté, — elle recule, elle se dresse. Oh! nos os sont revêtus d'un nouveau corps amoureux.

*
* *

O la face cendrée, l'écusson de crin, les bras de cristal! Le canon sur lequel je dois m'abattre à travers la mêlée des arbres et de l'air léger!

VIES

I

O LES énormes avenues du pays saint, les terrasses du temple! Qu'a-t-on fait du brahmane qui m'expliqua les Proverbes? D'alors, de là-bas, je vois encore même les vieilles! Je me souviens des heures d'argent et de soleil vers les fleuves, la main de la campagne sur mon épaule, et de nos caresses debout dans les plaines poivrées. — Un envol de pigeons écarlates tonne autour de ma pensée. —

Exilé ici, j'ai eu une scène où jouer les chefs-d'œuvre dramatiques de toutes les littératures. Je vous indiquerais les richesses inouïes. J'observe l'histoire des trésors que vous trouvâtes. Je vois la suite! Ma sagesse est aussi dédaignée que le chaos. Qu'est mon néant, auprès de la stupeur qui vous attend?

II

Je suis un inventeur bien autrement méritant que tous ceux qui m'ont précédé; un musicien même, qui ai trouvé quelque chose comme la clef de l'amour. A présent, gentilhomme d'une campagne·aigre au ciel sobre, j'essaye de m'émouvoir au souvenir de l'enfance mendiante, de l'apprentissage ou de l'arrivée en sabots, des polémiques, des cinq ou six veuvages, et quelques noces où ma forte tête m'empêcha de monter au diapason des camarades. Je ne regrette pas ma vieille part de gaîté divine : l'air sobre de cette aigre campagne alimente fort activement mon atroce scepticisme. Mais comme ce scepticisme ne peut désormais être mis en œuvre, et que d'ailleurs je suis dévoué à un trouble nouveau, — j'attends de devenir un très méchant fou.

III

Dans un grenier où je fus enfermé à douze ans j'ai connu le monde, j'ai illustré la comédie humaine. Dans un cellier j'ai appris l'histoire. A quelque fête de nuit dans une cité du Nord j'ai rencontré toutes les femmes des anciens peintres. Dans un vieux passage à Paris on m'a enseigné les sciences classiques. Dans une magnifique demeure cernée par l'Orient entier j'ai accompli mon immense œuvre et passé mon illustre retraite. J'ai brassé mon sang. Mon devoir m'est remis. Il ne faut même plus songer à cela. Je suis réellement d'outre-tombe, et pas de commissions.

DÉPART

ASSEZ vu. La vision s'est rencontrée à tous les airs.

Assez eu. Rumeurs des villes, le soir, et au soleil, et toujours.

Assez connu. Les arrêts de la vie. — O Rumeurs et Visions!

Départ dans l'affection et le bruit neufs!

ROYAUTÉ

UN beau matin, chez un peuple fort doux, un homme et une femme superbes criaient sur la place publique. « Mes amis, je veux qu'elle soit reine! » « Je veux être reine! » Elle riait et tremblait. Il parlait aux amis de révélation, d'épreuve terminée. Ils se pâmaient l'un contre l'autre.

En effet ils furent rois toute une matinée où les tentures carminées se relevèrent sur les maisons, et tout l'après-midi, où ils s'avancèrent du côté des jardins de palmes.

A UNE RAISON

UN coup de ton doigt sur le tambour décharge tous les sons et commence la nouvelle harmonie.

Un pas de toi c'est la levée des nouveaux hommes et leur en marche.

Ta tête se détourne : le nouvel amour! Ta tête se retourne, — le nouvel amour!

« Change nos lots, crible les fléaux, à commencer par

le temps », te chantent ces enfants. « Elève n'importe
où la substance de nos fortunes et de nos vœux », on
t'en prie.

Arrivée de toujours, qui t'en iras partout.

MATINÉE D'IVRESSE

O *mon* Bien! O *mon* Beau! Fanfare atroce où je ne tré-
buche point! Chevalet féerique! Hourra pour l'œuvre
inouïe et pour le corps merveilleux, pour la première fois!
Cela commença sous les rires des enfants, cela finira par
eux. Ce poison va rester dans toutes nos veines même
quand, la fanfare tournant, nous serons rendus à l'ancienne
inharmonie. O maintenant nous si digne de ces tortures!
rassemblons fervemment cette promesse surhumaine faite
à notre corps et à notre âme créés : cette promesse, cette
démence! L'élégance, la science, la violence! On nous a
promis d'enterrer dans l'ombre l'arbre du bien et du mal,
de déporter les honnêtetés tyranniques, afin que nous
amenions notre très pur amour. Cela commença par
quelques dégoûts et cela finit, — ne pouvant nous saisir
sur-le-champ de cette éternité, — cela finit par une déban-
dade de parfums.

Rire des enfants, discrétion des esclaves, austérité des
vierges, horreur des figures et des objets d'ici, sacrés soyez-
vous par le souvenir de cette veille. Cela commençait par
toute la rustrerie, voici que cela finit par des anges de
flamme et de glace.

Petite veille d'ivresse, sainte! quand ce ne serait que
pour le masque dont tu nous as gratifié. Nous t'affirmons,
méthode! Nous n'oublions pas que tu as glorifié hier chacun de nos âges. Nous avons foi au poison. Nous savons
donner notre vie tout entière tous les jours.

Voici le temps des *Assassins.*

·

PHRASES

Quand le monde sera réduit en un seul bois noir pour nos quatre yeux étonnés, — en une plage pour deux enfants fidèles, — en une maison musicale pour notre claire sympathie, — je vous trouverai.

Qu'il n'y ait ici-bas qu'un vieillard seul, calme et beau, entouré d'un « luxe inouï », — et je suis à vos genoux.

Que j'aie réalisé tous vos souvenirs, — que je sois celle qui sait vous garrotter, — je vous étoufferai.

*

Quand nous sommes très forts, — qui recule? très gais, — qui tombe de ridicule? Quand nous sommes très méchants. — que ferait-on de nous.

Parez-vous, dansez, riez. — Je ne pourrai jamais envoyer l'Amour par la fenêtre.

*

— Ma camarade, mendiante, enfant monstre! comme ça t'est égal, ces malheureuses et ces manœuvres, et mes embarras. Attache-toi à nous avec ta voix impossible, ta voix! unique flatteur de ce vil désespoir.

Une matinée couverte, en Juillet. Un goût de cendres vole dans l'air; — une odeur de bois suant dans l'âtre, — les fleurs rouies, — le saccage des promenades, — la bruine des canaux par les champs — pourquoi pas déjà les joujoux et l'encens?

*

J'ai tendu des cordes de clocher à clocher; des guirlandes de fenêtre à fenêtre; des chaînes d'or d'étoile à étoile, et je danse.

Le haut étang fume continuellement. Quelle sorcière va se dresser sur le couchant blanc? Quelles violettes frondaisons vont descendre?

*

Pendant que les fonds publics s'écoulent en fêtes de fraternité, il sonne une cloche de feu rose dans les nuages.

*

Avivant un agréable goût d'encre de Chine, une poudre noire pleut doucement sur ma veillée. — Je baisse les feux du lustre, je me jette sur le lit, et tourné du côté de l'ombre, je vous vois, mes filles! mes reines!

OUVRIERS

O CETTE chaude matinée de février. Le Sud inopportun vint relever nos souvenirs d'indigents absurdes, notre jeune misère.

Henrika avait une jupe de coton à carreau blanc et brun, qui a dû être portée au siècle dernier, un bonnet à rubans, et un foulard de soie. C'était bien plus triste qu'un deuil. Nous faisions un tour dans la banlieue. Le temps était couvert, et ce vent du Sud excitait toutes les vilaines odeurs des jardins ravagés et des prés desséchés.

Cela ne devait pas fatiguer ma femme au même point que moi. Dans une flache laissée par l'inondation du mois précédent à un sentier assez haut elle me fit remarquer de très petits poissons.

La ville, avec sa fumée et ses bruits de métiers, nous suivait très loin dans les chemins. O l'autre monde, l'habitation bénie par le ciel, et les ombrages! Le sud me rappelait les misérables incidents de mon enfance, mes désespoirs d'été, l'horrible quantité de force et de science que le sort a toujours éloignée de moi. Non! nous ne passerons pas l'été dans cet avare pays où nous ne serons jamais que des orphelins fiancés. Je veux que ce bras durci ne traîne plus *une chère image*.

LES PONTS

DES ciels gris de cristal. Un bizarre dessin de ponts, ceux-ci droits, ceux-là bombés, d'autres descendant ou obliquant en angles sur les premiers, et ces figures se renouvelant dans les autres circuits éclairés du canal, mais tous tellement longs et légers que les rives, chargées de dômes, s'abaissent et s'amoindrissent. Quelques-uns de ces ponts sont encore chargés de masures. D'autres soutiennent des mâts, des signaux, de frêles parapets. Des accords mineurs se croisent, et filent, des cordes montent des berges. On distingue une veste rouge, peut-être d'autres costumes et des instruments de musique. Sont-ce des airs populaires, des bouts de concerts seigneuriaux, des restants d'hymnes publics? L'eau est grise et bleue, large comme un bras de mer. — Un rayon blanc, tombant du haut du ciel, anéantit cette comédie.

VILLE

JE suis un éphémère et point trop mécontent citoyen d'une métropole crue moderne parce que tout goût connu a été éludé dans les ameublements et l'extérieur des maisons aussi bien que dans le plan de la ville. Ici vous ne signaleriez les traces d'aucun monument de superstition. La morale et la langue sont réduites à leur plus simple expression, enfin! Ces millions de gens qui n'ont pas besoin de se connaître amènent si pareillement l'éducation, le métier et la vieillesse, que ce cours de vie doit être plusieurs fois moins long que ce qu'une statistique folle trouve pour les peuples du continent. Aussi comme, de ma fenêtre, je vois des spectres nouveaux roulant à tra-

vers l'épaisse et éternelle fumée de charbon, — notre
ombre des bois, notre nuit d'été! — des Erynnies nouvelles, devant mon cottage qui est ma patrie et tout mon
cœur puisque tout ici ressemble à ceci, — la Mort sans
pleurs, notre active fille et servante, un Amour désespéré
et un joli Crime piaulant dans la boue de la rue.

ORNIÈRES

A DROITE l'aube d'été éveille les feuilles et les vapeurs et
les bruits de ce coin du parc, et les talus de gauche
tiennent dans leur ombre violette les mille rapides ornières de la route humide. Défilé de féeries. En effet : des
chars chargés d'animaux de bois doré, de mâts et de
toiles bariolées, au grand galop de vingt chevaux de cirque
tachetés, et les enfants et les hommes sur leurs bêtes les
plus étonnantes; — vingt véhicules, bossés, pavoisés et
fleuris comme des carrosses anciens ou de contes, pleins
d'enfants attifés pour une pastorale suburbaine. — Même
des cercueils sous leur dais de nuit dressant les panaches
d'ébène, filant au trot des grandes juments bleues et
noires.

VILLES

CE sont des villes! C'est un peuple pour qui se sont mon-
tés ces Alleghanys et ces Libans de rêve! Des chalets de
cristal et de bois qui se meuvent sur des rails et des pou-
lies invisibles. Les vieux cratères ceints de colosses et de
palmiers de cuivre rugissent mélodieusement dans les
feux. Des fêtes amoureuses sonnent sur les canaux pendus
derrière les chalets. La chasse des carillons crie dans les
gorges. Des corporations de chanteurs géants accourent
dans des vêtements et des oriflammes éclatants comme la
lumière des cimes. Sur les plateformes au milieu des
gouffres les Rolands sonnent leur bravoure. Sur les passerelles de l'abîme et les toits des auberges l'ardeur du ciel
pavoise les mâts. L'écroulement des apothéoses rejoint les

champs des hauteurs où les centauresses séraphiques évoluent parmi les avalanches. Au-dessus du niveau des plus hautes crêtes, une mer troublée par la naissance éternelle de Vénus chargée de flottes orphéoniques et de la rumeur des perles et des conques précieuses, — la mer s'assombrit parfois avec des éclats mortels. Sur les versants des moissons de fleurs grandes comme nos armes et nos coupes, mugissent. Des cortèges de Mabs en robes rousses, opalines, montent des ravines. Là-haut, les pieds dans la cascade et les ronces, les cerfs tettent Diane. Les Bacchantes des banlieues sanglotent et la lune brûle et hurle. Vénus entre dans les cavernes des forgerons et des ermites. Des groupes de beffrois chantent les idées des peuples. Des châteaux bâtis en os sort la musique inconnue. Toutes les légendes évoluent et les élans se ruent dans les bourgs. Le paradis des orages s'effondre. Les sauvages dansent sans cesse la fête de la nuit. Et une heure je suis descendu dans le mouvement d'un boulevard de Bagdad où des compagnies ont chanté la joie du travail nouveau, sous une brise épaisse, circulant sans pouvoir éluder les fabuleux fantômes des monts où l'on a dû se retrouver.

Quels bons bras, quelle belle heure me rendront cette région d'où viennent mes sommeils et mes moindres mouvements?

VAGABONDS

PITOYABLE frère! Que d'atroces veillées je lui dus! « Je ne me saisissais pas fervemment de cette entreprise. Je m'étais joué de son infirmité. Par ma faute nous retournerions en exil, en esclavage. » Il me supposait un guignon et une innocence très bizarres, et il ajoutait des raisons inquiétantes.

Je répondais en ricanant à ce satanique docteur, et finissais par gagner la fenêtre. Je créais, par delà la campagne traversée par des bandes de musique rare, les fantômes du futur luxe nocturne.

Après cette distraction vaguement hygiénique je m'étendais sur une paillasse. Et, presque chaque nuit,

aussitôt endormi, le pauvre frère se levait, la bouche
pourrie, les yeux arrachés, — tel qu'il se rêvait! — et me
tirait dans la salle en hurlant son songe de chagrin idiot.

J'avais en effet, en toute sincérité d'esprit, pris l'engagement de le rendre à son état primitif de fils du Soleil, —
et nous errions, nourris du vin des cavernes et du biscuit
de la route, moi pressé de trouver le lieu et la formule.

VILLES

L'ACROPOLE officielle outre les conceptions de la barbarie
moderne les plus colossales. Impossible d'exprimer le jour
mat produit par ce ciel immuablement gris, l'éclat impérial des bâtisses, et la neige éternelle du sol. On a reproduit dans un goût d'énormité singulier toutes les mer-
veilles classiques de l'architecture. J'assiste à des exposi-
tions de peinture dans des locaux vingt fois plus vastes
qu'Hampton-Court. Quelle peinture! Un Nabuchodonosor
norwégien a fait construire les escaliers des ministères; les
subalternes que j'ai pu voir sont déjà plus fiers que des
[Br...], et j'ai tremblé à l'aspect des gardiens de colosses
et officiers de constructions. Par le groupement des
bâtiments, en squares, cours et terrasses fermées, on a
évincé les cochers. Les parcs représentent la nature primitive travaillée par un art superbe. Le haut quartier a
des parties inexplicables : un bras de mer, sans bateaux,
roule sa nappe de grésil bleu entre des quais chargés de
candélabres géants. Un pont court conduit à une poterne
immédiatement sous le dôme de la Sainte-Chapelle. Ce
dôme est une armature d'acier artistique de quinze mille
pieds de diamètre environ.

Sur quelques points des passerelles de cuivre, des plates-
formes, des escaliers qui contournent les halles et les
piliers, j'ai cru pouvoir juger la profondeur de la ville!
C'est le prodige dont je n'ai pu me rendre compte : quels
sont les niveaux des autres quartiers sur ou sous l'acropole? Pour l'étranger de notre temps la reconnaissance est
impossible. Le quartier commerçant est un circus d'un
seul style, avec galeries à arcades. On ne voit pas de bou-

tiques, mais la neige de la chaussée est écrasée; quelques
nababs aussi rares que les promeneurs d'un matin de
dimanche à Londres, se dirigent vers une diligence de diamants. Quelques divans de velours rouge : on sert des
boissons polaires dont le prix varie de huit cents à huit
mille roupies. A l'idée de chercher des théâtres sur ce
circus, je me réponds que les boutiques doivent contenir
des drames assez sombres? Je pense qu'il y a une police.
Mais la loi doit être tellement étrange, que je renonce à
me faire une idée des aventuriers d'ici.

Le faubourg, aussi élégant qu'une belle rue de Paris,
est favorisé d'un air de lumière; l'élément démocratique
compte quelques cents âmes. Là encore, les maisons ne se
suivent pas; le faubourg se perd bizarrement dans la campagne, le « Comté » qui remplit l'occident éternel des
forêts et des plantations prodigieuses où les gentils-
hommes sauvages chassent leurs chroniques sous la lumière qu'on a créée.

VEILLÉES

I

C'EST le repos éclairé, ni fièvre ni langueur, sur le lit ou
sur le pré.

C'est l'ami ni ardent ni faible. L'ami.

C'est l'aimée ni tourmentante ni tourmentée. L'aimée.

L'air et le monde point cherchés. La vie.

— Etait-ce donc ceci?

— Et le rêve fraîchit.

II

L'éclairage revient à l'arbre de bâtisse. Des deux extré-
mités de la salle, décors quelconques, des élévations har-

moniques se joignent. La muraille en face du veilleur est
une succession psychologique de coupes de frises, de
bandes atmosphériques et d'accidences géologiques. —
Rêve intense et rapide de groupes sentimentaux avec des
êtres de tous les caractères parmi toutes les apparences.

III

Les lampes et les tapis de la veillée font le bruit des
vagues, la nuit, le long de la coque et autour du steerage.

La mer de la veillée, telle que les seins d'Amélie.

Les tapisseries, jusqu'à mi-hauteur, des taillis de den-
telle, teinte d'émeraude, où se jettent les tourterelles de
la veillée.

. . . .

La plaque du foyer noir, de réels soleils des grèves :
ah! puits des magies; seule vue d'aurore, cette fois.

MYSTIQUE

Sur la pente du talus, les anges tournent leurs robes de
laine dans les herbages d'acier et d'émeraude.

Des prés de flammes bondissent jusqu'au sommet du
mamelon. A gauche le terreau de l'arête est piétiné par
tous les homicides et toutes les batailles, et tous les bruits
désastreux filent leur courbe. Derrière l'arête de droite la
ligne des orients, des progrès.

Et tandis que la bande en haut du tableau est formée
de la rumeur tournante et bondissante des conques des
mers et des nuits humaines,

La douceur fleurie des étoiles et du ciel et du reste
descend en face du talus, comme un panier, — contre
notre face, et fait l'abîme fleurant et bleu là-dessous.

AUBE

J'AI embrassé l'aube d'été.

Rien ne bougeait encore au front des palais. L'eau était morte. Les camps d'ombres ne quittaient pas la route du bois. J'ai marché, réveillant les haleines vives et tièdes, et les pierreries regardèrent, et les ailes se levèrent sans bruit.

La première entreprise fut, dans le sentier déjà empli de frais et blêmes éclats, une fleur qui me dit son nom.

Je ris au wasserfall blond qui s'échevela à travers les sapins : à la cime argentée je reconnus la déesse.

Alors je levai un à un les voiles. Dans l'allée, en agitant les bras. Par la plaine, où je l'ai dénoncée au coq. A la grand'ville elle fuyait parmi les clochers et les dômes, et courant comme un mendiant sur les quais de marbre, je la chassais.

En haut de la route, près d'un bois de lauriers, je l'ai entourée avec ses voiles amassés, et j'ai senti un peu son immense corps. L'aube et l'enfant tombèrent au bas du bois.

Au réveil il était midi.

FLEURS

D'UN gradin d'or, — parmi les cordons de soie, les gazes grises, les velours verts et les disques de cristal qui noircissent comme du bronze au soleil, — je vois la digitale s'ouvrir sur un tapis de filigranes d'argent, d'yeux et de chevelures.

Des pièces d'or jaune semées sur l'agate, des piliers d'acajou supportant un dôme d'émeraudes, des bouquets de satin blanc et de fines verges de rubis entourent la rose d'eau.

Tels qu'un dieu aux énormes yeux bleus et aux formes de neige, la mer et le ciel attirent aux terrasses de marbre la foule des jeunes et fortes roses.

NOCTURNE VULGAIRE

Un souffle ouvre des brèches opéradiques dans les cloisons, — brouille le pivotement des toits rongés, — disperse les limites des foyers, — éclipse les croisées. — Le long de la vigne, m'étant appuyé du pied à une gargouille, — je suis descendu dans ce carrosse dont l'époque est assez indiquée par les glaces convexes, les panneaux bombés et les sophas contournés. Corbillard de mon sommeil, isolé, maison de berger de ma niaiserie, le véhicule vire sur le gazon de la grande route effacée : et dans un défaut en haut de la glace de droite tournoient les blêmes figures lunaires, feuilles, seins; — Un vert et un bleu très foncés envahissent l'image. Dételage aux environs d'une tache de gravier.

— Ici va-t-on siffler pour l'orage, et les Sodomes, — et les Solymes, — et les bêtes féroces et les armées,

— (Postillons et bêtes de songe reprendront-ils sous les plus suffocantes futaies, pour m'enfoncer jusqu'aux yeux dans la source de soie)

— Et nous envoyer, fouettés à travers les eaux clapotantes et les boissons répandues, rouler sur l'aboi des dogues...

— Un souffle disperse les limites du foyer.

MARINE

Les chars d'argent et de cuivre —

Les proues d'acier et d'argent —

Battent l'écume, —

Soulèvent les souches des ronces.

Les courants de la lande,

Et les ornières immenses du reflux,

Filent circulairement vers l'est,

Vers les piliers de la forêt, —

Vers les fûts de la jetée,

Dont l'angle est heurté par des tourbillons de lumière.

FÊTE D'HIVER

La cascade sonne derrière les huttes d'opéra-comique. Des girandoles prolongent, dans les vergers et les allées voisins du Méandre, — les verts et les rouges du couchant. Nymphes d'Horace coiffées au Premier Empire, — Rondes Sibériennes, Chinoises de Boucher.

ANGOISSE

Se peut-il qu'Elle me fasse pardonner les ambitions continuellement écrasées, — qu'une fin aisée répare les âges d'indigence, — qu'un jour de succès nous endorme sur la honte de notre inhabileté fatale.

(O palmes! diamant! — Amour! force! — plus haut que toutes joies et gloires! — de toutes façons, partout, — démon, dieu, — Jeunesse de cet être-ci; moi!)

Que des accidents de féerie scientifique et des mouvements de fraternité sociale soient chéris comme restitution progressive de la franchise première?...

Mais la Vampire qui nous rend gentils commande que nous nous amusions avec ce qu'elle nous laisse, ou qu'autrement nous soyons plus drôles.

Rouler aux blessures, par l'air lassant et la mer; aux supplices, par le silence des eaux et de l'air meurtriers; aux tortures qui rient, dans leur silence atrocement houleux.

MÉTROPOLITAIN

Du détroit d'indigo aux mers d'Ossian, sur le sable rose et orange qu'a lavé le ciel vineux viennent de monter et de se croiser des boulevards de cristal habités incontinent par de jeunes familles pauvres qui s'alimentent chez les fruitiers. Rien de riche. — La ville!

Du désert de bitume fuient droit en déroute avec les nappes de brumes échelonnées en bandes affreuses au ciel qui se recourbe, se recule et descend, formé de la plus sinistre fumée noire que puisse faire l'Océan en deuil, les casques, les roues, les barques, les croupes. — La bataille!

Lève la tête : ce pont de bois, arqué; les derniers potagers de Samarie; ces masques enluminés sous la lanterne fouettée par la nuit froide; l'ondine niaise à la robe bruyante, au bas de la rivière; ces crânes lumineux dans les plants de pois — et les autres fantasmagories — la campagne.

Des routes bordées de grilles et de murs, contenant à peine leurs bosquets, et les atroces fleurs qu'on appellerait cœurs et sœurs, Damas damnant de langueur, — possessions de fériques aristocraties ultra-Rhénanes, Japonaises, Guaranies, propres encore à recevoir la musique des anciens — et il y a des auberges qui pour toujours n'ouvrent déjà plus — il y a des princesses, et si tu n'es pas trop accablé, l'étude des astres — le ciel.

Le matin où avec Elle, vous vous débattîtes parmi les éclats de neige, ces lèvres vertes, les glaces, les drapeaux noirs et les rayons bleus, et les parfums pourpres du soleil des pôles, — ta force.

BARBARE

BIEN après les jours et les saisons, et les êtres et les pays,

Le pavillon en viande saignante sur la soie des mers et des fleurs arctiques; (elles n'existent pas.)

Remis des vieilles fanfares d'héroïsme — qui nous attaquent encore le cœur et la tête — loin des anciens assassins —

— Oh! le pavillon en viande saignante sur la soie des mers et des fleurs arctiques; (elles n'existent pas.)
Douceurs!

Les brasiers, pleuvant aux rafales de givre, — Douceurs! — les feux à la pluie du vent de diamants jetée par le cœur terrestre éternellement carbonisé pour nous. — O monde! —

(Loin des vieilles retraites et des vieilles flammes, qu'on entend, qu'on sent,)

Les brasiers et les écumes. La musique, virement des gouffres et choc des glaçons aux astres.

O Douceurs, ô monde, ô musique! Et là, les formes, les sueurs, les chevelures et les yeux, flottant. Et les larmes blanches, bouillantes, — ô douceurs! — et la voix féminine arrivée au fond des volcans et des grottes arctiques.

Le pavillon.....

SOLDE

A VENDRE ce que les Juifs n'ont pas vendu, ce que noblesse ni crime n'ont goûté, ce qu'ignorent l'amour maudit et la probité infernale des masses; ce que le temps ni la science n'ont pas à reconnaître;

Les Voix reconstituées; l'éveil fraternel de toutes les énergies chorales et orchestrales et leurs applications instantanées; l'occasion, unique, de dégager nos sens!

A vendre les Corps sans prix, hors de toute race, de tout monde, de tout sexe, de toute descendance! Les richesses jaillissant à chaque démarche! Solde de diamants sans contrôle!

A vendre l'anarchie pour les masses; la satisfaction irrépressible pour les amateurs supérieurs; la mort atroce pour les fidèles et les amants!

A vendre les habitations et les migrations, sports, féeries et comforts parfaits, et le bruit, le mouvement et l'avenir qu'ils font!

A vendre les applications de calcul et les sauts d'harmonie inouïs. Les trouvailles et les termes non soupçonnés, possession immédiate,

Elan insensé et infini aux splendeurs invisibles, aux délices insensibles, — et ses secrets affolants pour chaque vice — et sa gaîté effrayante pour la foule.

A vendre les Corps, les voix, l'immense opulence inquestionnable, ce qu'on ne vendra jamais. Les vendeurs ne sont pas à bout de solde! Les voyageurs n'ont pas à rendre leur commission de si tôt!

FAIRY

Pour Hélène se conjurèrent les sèves ornamentales dans les ombres vierges et les clartés impassibles dans le silence astral. L'ardeur de l'été fut confiée à des oiseaux muets et l'indolence requise à une barque de deuils sans prix par des anses d'amours morts et de parfums affaissés.

— Après le moment de l'air des bûcheronnes à la rumeur du torrent sous la ruine des bois, de la sonnerie des bestiaux à l'écho des vals, et des cris des steppes. —

Pour l'enfance d'Hélène frissonnèrent les fourrés et les ombres, — et le sein des pauvres, et les légendes du ciel.

Et ses yeux et sa danse supérieurs encore aux éclats précieux, aux influences froides, au plaisir du décor et de l'heure uniques.

GUERRE

ENFANT, certains ciels ont affiné mon optique : tous les caractères nuancèrent ma physionomie. Les Phénomènes s'émurent. — A présent l'inflexion éternelle des moments et l'infini des mathématiques me chassent par ce monde où je subis tous les succès civils, respecté de l'enfance étrange et des affections énormes. — Je songe à une Guerre, de droit ou de force, de logique bien imprévue.

C'est aussi simple qu'une phrase musicale.

JEUNESSE

I

DIMANCHE

LES calculs de côté, l'inévitable descente du ciel, et la visite des souvenirs et la séance des rhythmes occupent la demeure, la tête et le monde de l'esprit.

— Un cheval détale sur le turf suburbain, et le long des cultures et des boisements, percé par la peste carbonique. Une misérable femme de drame, quelque part dans le monde, soupire après des abandons improbables. Les desperadoes languissent après l'orage, l'ivresse et les blessures. De petits enfants étouffent des malédictions le long des rivières. —

Reprenons l'étude au bruit de l'œuvre dévorante qui se rassemble et remonte dans les masses.

II

Homme de constitution ordinaire, la chair n'était-elle
pas un fruit pendu dans le verger, ô journées enfantes!
le corps un trésor à prodiguer; ô aimer, le péril ou la
force de Psyché? La terre avait des versants fertiles en
princes et en artistes, et la descendance et la race nous
poussaient aux crimes et aux deuils : le monde, votre
fortune et votre péril. Mais à présent, ce labeur comblé,
toi, tes calculs, toi, tes impatiences, ne sont plus que votre
danse et votre voix, non fixées et point forcées, quoique
d'un double événement d'invention et de succès une raison, en l'humanité fraternelle et discrète par l'univers sans
images; — la force et le droit réfléchissent la danse et la
voix à présent seulement appréciées.

III

VINGT ANS

Les voix instructives exilées... L'ingénuité physique
amèrement rassise... Adagio. Ah! l'égoïsme infini de l'ado-
lescence, l'optimisme studieux : que le monde était plein
de fleurs cet été! Les airs et les formes mourant... Un
chœur, pour calmer l'impuissance et l'absence! Un chœur
de verres de mélodies nocturnes... En effet les nerfs vont
vite chasser.

IV

Tu en es encore à la tentation d'Antoine. L'ébat du
zèle écourté, les tics d'orgueil puéril, l'affaiblissement et
l'effroi. Mais tu te mettras à ce travail : toutes les possi-
bilités harmoniques et architecturales s'émouvront autour
de ton siège. Des êtres parfaits, imprévus, s'offriront à tes
expériences. Dans tes environs affluera rêveusement la
curiosité d'anciennes foules et de luxes oisifs. Ta mémoire

et tes sens ne seront que la nourriture de ton impulsion créatrice. Quant au monde, quand tu sortiras, que sera-t-il devenu? En tout cas, rien des apparences actuelles.

PROMONTOIRE

L'aube d'or et la soirée frissonnante trouvent notre brick en large en face de cette villa et de ses dépendances, qui forment un promontoire aussi étendu que l'Epire et le Péloponnèse, ou que la grande île du Japon, ou que l'Arabie! Des fanums qu'éclaire la rentrée des théories; d'immenses vues de la défense des côtes modernes; des dunes illustrées de chaudes fleurs et de bacchanales; de grands canaux de Carthage et des Embankments d'une Venise louche; de molles éruptions d'Etnas et des crevasses de fleurs et d'eaux des glaciers; des lavoirs entourés de peupliers d'Allemagne; des talus de parcs singuliers penchant des têtes d'Arbre du Japon; et les façades circulaires des « Royal » ou des « Grand » de Scarbro' et de Brooklyn; et leurs railways flanquent, creusent, surplombent les dispositions de cet Hôtel, choisies dans l'histoire des plus élégantes et des plus colossales constructions de l'Italie, de l'Amérique et de l'Asie, dont les fenêtres et les terrasses à présent pleines d'éclairages, de boissons et de brises riches, sont ouvertes à l'esprit des voyageurs et des nobles — qui permettent, aux heures du jour, à toutes les tarentelles des côtes, — et même aux ritournelles des vallées illustres de l'art, de décorer merveilleusement les façades du Palais-Promontoire.

SCÈNES

L'ancienne Comédie poursuit ses accords et divise ses Idylles :

Des boulevards de tréteaux.

Un long pier en bois d'un bout à l'autre d'un champ

rocailleux où la foule barbare évolue sous les arbres dé-
pouillés.

Dans des corridors de gaze noire, suivant le pas des
promeneurs aux lanternes et aux feuilles,

Des oiseaux des mystères s'abattent sur un ponton de
maçonnerie mû par l'archipel couvert des embarcations
des spectateurs.

Des scènes lyriques accompagnées de flûte et de tambour s'inclinent dans des réduits ménagés sur les plafonds,
autour des salons de clubs modernes ou des salles de
l'Orient ancien.

La féerie manœuvre au sommet d'un amphithéâtre
couronné de taillis, — ou s'agite et module pour les Béo-
tiens, dans l'ombre des futaies mouvantes sur l'arête des
cultures.

L'opéra-comique se divise sur notre scène à l'arête d'in-
tersection de dix cloisons dressées de la galerie aux feux.

SOIR HISTORIQUE

En quelque soir, par exemple, que se trouve le touriste
naïf, retiré de nos horreurs économiques, la main d'un
maître anime le clavecin des prés; on joue aux cartes au
fond de l'étang, miroir évocateur des reines et des mi-
gnonnes; on a les saintes, les voiles, et les fils d'harmonie,
et les chromatismes légendaires, sur le couchant.

Il frissonne au passage des chasses et des hordes. La
comédie goutte sur les tréteaux de gazon. Et l'embarras
des pauvres et des faibles sur ces plans stupides!

A sa vision esclave, l'Allemagne s'échafaude vers des
lunes; les déserts tartares s'éclairent; les révoltes anciennes
grouillent dans le centre du Céleste Empire; par les escaliers et les fauteuils de rocs, un petit monde blême et plat,
Afrique et Occidents, va s'édifier. Puis un ballet de mers

et de nuits connues, une chimie sans valeur, et des mélodies impossibles.

La même magie bourgeoise à tous les points où la malle nous déposera! Le plus élémentaire physicien sent qu'il n'est plus possible de se soumettre à cette atmosphère personnelle, brume de remords physiques, dont la constatation est déjà une affliction.

Non! Le moment de l'étuve, des mers enlevées, des embrasements souterrains, de la planète emportée, et des exterminations conséquentes, certitudes si peu malignement indiquées dans la Bible et par les Nornes et qu'il sera donné à l'être sérieux de surveiller. — Cependant ce ne sera point un effet de légende!

BOTTOM

La réalité étant trop épineuse pour mon grand caractère, — je me trouvai néanmoins chez Madame, en gros oiseau gris bleu s'essorant vers les moulures du plafond et traînant l'aile dans les ombres de la soirée.

Je fus, au pied du baldaquin supportant ses bijoux adorés et ses chefs-d'œuvre physiques, un gros ours aux gencives violettes et au poil chenu de chagrin, les yeux aux cristaux et aux argents des consoles.

Tout se fit ombre et aquarium ardent. — Au matin, — aube de juin batailleuse, — je courus aux champs, âne, claironnant et brandissant mon grief jusqu'à ce que les Sabines de la banlieue vinrent se jeter à mon poitrail.

H

Toutes les monstruosités violent les gestes atroces d'Hortense. Sa solitude est la mécanique érotique; sa lassitude, la dynamique amoureuse. Sous la surveillance d'une enfance, elle a été, à des époques nombreuses, l'ardente

hygiène des races. Sa porte est ouverte à la misère. Là, la
moralité des êtres actuels se décorpore en sa passion ou en
son action. — O terrible frisson des amours novices sur
le sol sanglant et par l'hydrogène clarteux! trouvez
Hortense.

MOUVEMENT

LE mouvement de lacet sur la berge des chutes du fleuve,
Le gouffre à l'étambot,
La célérité de la rampe,
L'énorme passade du courant
Mènent par les lumières inouïes
Et la nouveauté chimique
Les voyageurs entourés des trombes du val
Et du strom.

Ce sont les conquérants du monde
Cherchant la fortune chimique personnelle;
Le sport et le comfort voyagent avec eux;
Ils emmènent l'éducation
Des races, des classes et des bêtes, sur ce vaisseau
Repos et vertige
A la lumière diluvienne,
Aux terribles soirs d'étude.

Car de la causerie parmi les appareils, le sang, les fleurs,
    le feu, les bijoux,
Des comptes agités à ce bord fuyard,
— On voit, roulant comme une digue au-delà de la route
    hydraulique motrice,
Monstrueux, s'éclairant sans fin, — leur stock d'études;
Eux chassés dans l'extase harmonique,
Et l'héroïsme de la découverte.

Aux accidents atmosphériques les plus surprenants.
Un couple de jeunesse, s'isole sur l'arche,
— Est-ce ancienne sauvagerie qu'on pardonne? —
Et chante et se poste.

DÉVOTION

A MA sœur Louise Vanaen de Voringhem : — Sa cornette bleue tournée à la mer du Nord. — Pour les naufragés.

A ma sœur Léonie Aubois d'Ashby. Baou — l'herbe d'été bourdonnante et puante. — Pour la fièvre des mères et des enfants.

A Lulu, — démon — qui a conservé un goût pour les oratoires du temps des Amies et de son éducation incomplète. Pour les hommes. — A madame***.

A l'adolescent que je fus. A ce saint vieillard, ermitage ou mission.

A l'esprit des pauvres. Et à un très haut clergé.

Aussi bien à tout culte en telle place de culte mémoriale et parmi tels événements qu'il faille se rendre, suivant les aspirations du moment ou bien notre propre vice sérieux.

Ce soir à Circeto des hautes glaces, grasse comme le poisson, et enluminée comme les dix mois de la nuit rouge, — (son cœur ambre et spunk), — pour ma seule prière muette comme ces régions de nuit et précédant des bravoures plus violentes que ce chaos polaire.

A tout prix et avec tous les airs, même dans des voyages métaphysiques. — Mais plus *alors*.

DÉMOCRATIE

« LE drapeau va au paysage immonde, et notre patois étouffe le tambour.

« Aux centres nous alimenterons la plus cynique prostitution. Nous massacrerons les révoltes logiques.

« Aux pays poivrés et détrempés! — au service des plus monstrueuses exploitations industrielles ou militaires.

« Au revoir ici, n'importe où. Conscrits du bon vouloir, nous aurons la philosophie féroce; ignorants pour la science, roués pour le confort; la crevaison pour le monde qui va. C'est la vraie marche. En avant, route! »

GÉNIE

Il est l'affection et le présent puisqu'il a fait la maison ouverte à l'hiver écumeux et à la rumeur de l'été, lui qui a purifié les boissons et les aliments, lui qui est le charme des lieux fuyants et le délice surhumain des stations. Il est l'affection et l'avenir, la force et l'amour que nous, debout dans les rages et les ennuis, nous voyons passer dans le ciel de tempête et les drapeaux d'extase.

Il est l'amour, mesure parfaite et réinventée, raison merveilleuse et imprévue, et l'éternité : machine aimée des qualités fatales. Nous avons tous eu l'épouvante de sa concession et de la nôtre : ô jouissance de notre santé, élan de nos facultés, affection égoïste et passion pour lui, lui qui nous aime pour sa vie infinie...

Et nous nous le rappelons et il voyage... Et si l'Adoration s'en va, sonne, sa promesse sonne : « Arrière ces superstitions, ces anciens corps, ces ménages et ces âges. C'est cette époque-ci qui a sombré! »

Il ne s'en ira pas, il ne redescendra pas d'un ciel, il n'accomplira pas la rédemption des colères de femmes et des gaîtés des hommes et de tout ce péché : car c'est fait, lui étant, et étant aimé.

O ses souffles, ses têtes, ses courses : la terrible célérité de la perfection des formes et de l'action!

O fécondité de l'esprit et immensité de l'univers!

Son corps! le dégagement rêvé, le brisement de la grâce croisée de violence nouvelle! sa vue, sa vue! tous les agenouillages anciens et les peines *relevés* à sa suite.

Son jour! l'abolition de toutes souffrances sonores et mouvantes dans la musique plus intense.

Son pas! les migrations plus énormes que les anciennes invasions.

O lui et nous! l'orgueil plus bienveillant que les charités perdues.

O monde! et le chant clair des malheurs nouveaux!

Il nous a connus tous et nous a tous aimés. Sachons, cette nuit d'hiver, de cap en cap, du pôle tumultueux au château, de la foule à la plage, de regards en regards, forces et sentiments las, le héler et le voir, et le renvoyer, et sous les marées et au haut des déserts de neige, suivre ses vues, ses souffles, son corps, son jour.

PREMIÈRES PROSES

Textes rédigés le premier vers 1864, — année où Rimbaud allait avoir dix ans, — le second dans le premier semestre de 1870, alors que Rimbaud était collégien à Charleville.

I

PROLOGUE

Le soleil était encore chaud; cependant il n'éclairait presque plus la terre; comme un flambeau placé devant les voûtes gigantesque ne les éclaire plus que par une faible lueur laissant encore cependant voir les feuilles en laissant échapper de son corps de feu une dernière et faible lueur, laissant encore cependant voir les feuilles vertes des arbres, les petites fleurs qui se flétrissaient et le somnet gigantesque des pins, des peupliers, et des chênes séculaires. Le vent rafraîchissant, c'est-à-dire une brise fraîche agitait les feuilles des arbres avec un bruissement à peu près semblable à celui que faisait le bruit des eaux argentées du ruisseau qui coulait à mes pieds. Les fougères courbaient leur front vert devan le vent. Je m'endormis non sans m'être abreuvé de l'eau du ruisseau.

II

Je rêvai que .. ..
.. ..
.. .. j'étais né à Reims l'an 1503, Reims était alors une petite ville où pour mieux dire un bourg cependant renommé à cause de sa belle cathédrale témoin du sacre du roi Clovis.

Mes parents étaient peut riches, mais très honnêtes, il n'avaient pour tout bien qu'une petite maison, qui leur avait toujours appartenu et qui était en leur possession vingt ans avant que je ne fus encore né en plus, quelques mille francs et il faut encore y ajouter les petites louis provenant des économies de ma mère.

Mon père était officier*, dans les armées du roi. C'était un homme grand, maigre, chevelure noire, barbe et yeux,

---

* Colonel des cent-gardes.

peau de même couleur quoi qu'il n'eût guère quand je suis né que 48 ou cinquante ans on lui en aurait certainement bien donné 60 ou 58 il était d'un caractère vif, bouillant, souvent en colère et ne voulant rien souffrir qui lui déplut ma mère était bien différente, femme douce, calme, s'effrayant de peu de chose, et cependant tenant la maison dans un ordre parfait!... elle était si calme, que mon père l'amusait comme une jeune demoiselle. J'étais le plus aimé mes frères étaient moins vaillants que moi et cependant plus grands : j'aimais peu l'étude c'est-à-dire d'apprendre à lire, écrire et compter.

Mais si c'était pour arranger une maison, cultiver un jardin, faire des commissions, à la bonne heure, je me plaisais à cela.

Je me rappelle encore qu'un jour mon père m'avait promis vingt sous si je lui faisais bien une division; je commençai; mais je ne pus finir. Ah! combien de fois ne m'a-t-il pas promis des sous des jouets des friandises même un fois cinq francs, si je pouvais lui lire quelque chose. Malgré cela, mon père me mit en classe des que j'eus 10 ans. Pourquoi me disais-je, apprendre du grec, du latin? Je ne le sais. Enfin on n'a pas besoin de cela que m'inporte à moi que je sois reçu à quoi cela sert-il d'être reçu à rien, n'est-ce pas? Si pourtant on dit qu'on n'a une place que lorsqu'on est reçu moi je ne veux pas de place je serai rentier quand même on en voudrait une pourquoi apprendre le latin; personne ne parle cette langue. Quelquefois j'en vois sur les journaux mais, Dieu merci je ne serai pas journaliste. Pourquoi apprendre et de l'histoire et de la géographie? On a, il est vrai, besoin de savoir que Paris est en France, mais on ne demande pas à quel degré de latitude. De l'histoire : apprendre la vie de Chinaldon, le Nabopolassar, de Darius, de Cyrus, et d'Alexandre, et de leurs autres compères remarquables par leurs noms diabolique, est un supplice?

Que m'importe, moi qu'Alexandre ait été célèbre? Que m'importe... Que sait-on si les Latins ont existé? C'est peut-être quelque langue forgée et, quand même ils auraient existé. Qu'ils me laissent rentier et conservent leur langue pour eux. Quel mal leur ai-je fait pour qu'ils me flanquent au supplice. Passons au grec... cette sale langue n'est parlée par personne personne au monde?...

Ah saperlipotte de saperlipopette sapristi moi, je serai rentier il ne fait pas si bon de s'user les culottes sur les bancs saperlipopettouille!

Pour être décrotteur gagner la place de décrotteur il faut passer un examen car les places qui vous sont accordées sont d'être ou décrotteur ou porcher ou bouvier dieu merci je n'en veux pas moi saperlipouille!

Avec ça des soufflets vous sont accordés pour récompense on vous appelle animal ce qui n'est pas vrai bout d'homme etc.

Ah saperpouillotte!

(*La suite prochainement.*)

ARTHUR.
(*1864.*)

CHARLES D'ORLÉANS A LOUIS XI

SIRE, le temps a laissé son manteau de pluie; les fouriers d'été sont venus : donnons l'huys au visage à Mérencolie! Vivent les lays et ballades! moralités et joyeulsetés! Que les clercs de la Basoche nous montent les folles soties : allons ouyr la moralité du Bien-Advisé et Maladvisé, et la conversion du clerc Théophilus, et come alèrent à Rome Saint Pière et Saint Pol, et comment furent martirez! Vivent les dames à rebrassés collets, portant atours et broderyes! N'est-ce pas, Sire, qu'il fait bon dire sous les arbres, quand les cieux sont vêtus de bleu, quand le soleil cler luit, les doux rondeaux, les ballades haut et cler chantées? *J'ai ung arbre de la plante d'amours,* ou *Une fois me dites ouy, ma dame,* ou *Riche amoureux a toujours l'advantage...* Mais me voilà bien esbaudi, Sire, et vous allez l'être comme moi : Maistre François Villon, le bon folastre, le gentil raillard qui rima tout cela, engrillonné, nourri d'une miche et d'eau, pleure et se lamente maintenant au fond du Châtelet! Pendu serez! lui a-t-on dit devant notaire : et le pauvre folet tout transi a fait son épitaphe pour lui et ses compagnons : et les gratieux gallans dont vous aimez tant les rimes, s'attendent danser à Montfaulcon, plus becquetés d'oiseaux que dés à coudre, dans la bruine et le soleil!

Oh! Sire, ce n'est pas pour folle plaisance qu'est là Villon! Pauvres housseurs ont assez de peine! Clergeons attendant leur nomination de l'Université, musards, montreurs de synges, joueurs de rebec qui payent leur escot en chansons, chevaucheurs d'escuryes, sires de deux écus, reîtres cachant leur nez en pots d'étain mieux qu'en casques de guerre*; tous ces pauvres enfants secs et noirs comme escouvillons, qui ne voient de pain qu'aux fenêtres, que l'hiver emmitoufle d'onglée, ont choisi maistre François pour mère nourricière! Or nécessité fait gens méprendre, et faim saillir le loup du bois : peut-être l'Escollier, ung jour de famine, a-t-il pris des tripes au baquet des bouchers, pour les fricasser à l'Abreuvoir Popin ou à la taverne du Pestel? Peut-être a-t-il pipé une douzaine de pains au boulanger, ou changé à la Pomme du Pin un broc d'eau claire pour un broc de vin de Baigneux? Peut-être, un soir de grande galle au Plat-d'Etain, a-t-il rossé le guet à son arrivée; ou les a-t-on surpris, autour de Montfaulcon, dans un souper conquis par noise, avec une dixaine de ribaudes? Ce sont des méfaits de maistre François! Parce qu'il nous montre ung gras chanoine mignonnant avec sa dame en chambre bien nattée, parce qu'il dit que le chappelain n'a cure de confesser, sinon chambrières et dames, et qu'il conseille aux dévotes, par bonne mocque, parler contemplation sous les courtines, l'escollier fol, si bien riant, si bien chantant, gent comme esmerillon, tremble sous les griffes des grands juges, ces terribles oiseaux noirs que suivent corbeaux et pies! Lui et ses compagnons, pauvres piteux! accrocheront un nouveau chapelet de pendus aux bras de la forêt : le vent leur fera chandeaux dans le doux feuillage sonore : et vous, Sire, et tous ceux qui aiment le poète, ne pourront rire qu'en pleurs en lisant ses joyeuses ballades : ils songeront qu'ils ont laissé mourir le gentil clerc qui chantait si follement, et ne pourront chasser Mérencolie!

Pipeur, larron, maistre François est pourtant le meilleur fils du monde : il rit des grasses souppes jacobines : mais il honore ce qu'a honoré l'église de Dieu, et madame

---

* Olivier Basselin, *Vaux-de-Vire*.

la vierge et la très sainte trinité! Il honore la Cour de Parlement, mère des bons, et sœur des benoitz anges; aux médisants du royaume de France, il veut presque autant de mal qu'aux taverniers qui brouillent le vin. Et dea! Il sait bien qu'il a trop gallé au temps de sa jeunesse folle! L'hiver, les soirs de famine, auprès de la fontaine Maubuay ou dans quelque piscine ruinée, assis à croppetons devant petit feu de chenevottes, qui flambe par instants pour rougir sa face maigre, il songe qu'il aurait maison et couche molle, s'il eût estudié!... Souvent, noir et flou comme chevaucheur d'escovettes, il regarde dans les logis par des mortaises : « — O, ces morceaulx savoureux et frians! ces tartes, ces flans, ces gelines dorées! — Je suis plus affamé que Tantalus! — Du rost! du rost! — Oh! cela sent plus doux qu'ambre et civettes! — Du vin de Beaulne dans de grandes aiguières d'argent! — Haro, la gorge m'ard!... O, si j'eusse estudié!... — Et mes chausses qui tirent la langue, et ma hucque qui ouvre toutes ses fenêtres, et mon feautre en dents de scie! — Si je rencontrais un piteux Alexander, pour que je puisse, bien recueilli, bien débouté, chanter à mon aise comme Orpheus le doux ménétrier! Si je pouvais vivre en honneur une fois avant que de mourir!... » Mais, voilà : souper de rondeaux, d'effets de lune sur les vieux toits, d'effets de lanternes sur le sol, c'est très maigre, très maigre; puis passent, en justes cottes, les mignottes villotières qui font chosettes mignardes pour attirer les passants; puis le regret des tavernes flamboyantes, pleines du cri des buveurs heurtant les pots d'étain et souvent les flamberges, du ricanement des ribaudes, et du chant aspre des rebecs mendiants; le regret des vieilles ruelles noires où saillent follement, pour s'embrasser, des étages de maisons et des poutres énormes; où, dans la nuit épaisse, passent, avec des sons de rapières traînées, des rires et des braieries abominables... Et l'oiseau rentre au vieux nid : Tout aux tavernes et aux filles!...

Oh! Sire, ne pouvoir mettre plumail au vent par ce temps de joie! La corde est bien triste en mai, quand tout chante, quand tout rit, quand le soleil rayonne sur les murs les plus lépreux! Pendus seront, pour une franche repeue! Villon est aux mains de la Cour de Parlement : le corbel n'écoutera pas le petit oiseau! Sire, ce serait vraiment méfait de pendre ces gentils clercs : ces poètes-là, voyez-vous, ne sont pas d'ici-bas : laissez-les vivre leur vie étrange; laissez-les avoir froid et faim, laissez-les courir, aimer et chanter : ils sont aussi riches que Jacques Cœur, tous ces fols enfants, car ils ont des rimes plein l'âme, des rimes qui rient et qui pleurent, qui nous font rire ou pleurer : Laissez-les vivre : Dieu bénit tous les miséricords, et le monde bénit les poètes.

(1870.)

UN CŒUR
SOUS UNE SOUTANE

Nouvelle composée en 1870 et publiée pour la première fois en 1924.

... O Thimothina Labinette! Aujourd'hui que j'ai revêtu la robe sacrée, je puis rappeler la passion, maintenant refroidie et dormant sous la soutane, qui, l'an passé, fit battre mon cœur de jeune homme sous ma capote de séminariste!...

1er mai 18...

... Voici le printemps. Le plant de vigne de l'abbé*** bourgeonne dans son pot de terre : l'arbre de la cour a de petites pousses tendres comme des gouttes vertes sur ses branches; l'autre jour, en sortant de l'étude, j'ai vu à la fenêtre du second quelque chose comme le champignon nasal du sup***. Les souliers de J*** sentent un peu; et j'ai remarqué que les élèves sortent fort souvent pour... dans la cour; eux qui vivaient à l'étude comme des taupes, rentassés, enfoncés dans leur ventre, tendant leur face rouge vers le poêle, avec une haleine épaisse et chaude comme celle des vaches! Ils restent fort longtemps à l'air, maintenant, et, quand ils reviennent, ricanent, et referment l'isthme de leur pantalon fort minutieusement. — non, je me trompe, fort lentement, — avec des manières, en semblant se complaire, machinalement, à cette opération qui n'a rien en soi que de très futile...

2 mai...

Le sup*** est descendu hier de sa chambre, et, en fermant les yeux, les mains cachées, craintif et frileux, il a traîné à quatre pas dans la cour ses pantoufles de chanoine!...

Voici mon cœur qui bat la mesure dans ma poitrine, et ma poitrine qui bat contre mon pupitre crasseux! Oh! je déteste maintenant le temps où les élèves étaient comme de grosses brebis suant dans leurs habits sales, et dormaient dans l'atmosphère empuantie de l'étude, sous la lumière du gaz, dans la chaleur fade du poêle!... J'étends mes bras! je soupire. j'étends mes jambes... je sens des choses dans ma tête, oh! des choses!...

4 mai...

... Tenez, hier, je n'y tenais plus : j'ai entendu, comme l'ange Gabriel, les ailes de mon cœur. Le souffle de l'esprit sacré a parcouru mon être! J'ai pris ma lyre, et j'ai chanté :

> Approchez-vous,
> Grande Marie!
> Mère chérie!
> Du doux Jhésus!
> Sanctus Christus!
> O vierge enceinte
> O mère sainte
> Exaucez-nous!

O! si vous saviez les effluves mystérieuses qui secouaient mon âme pendant que j'effeuillais cette rose poétique! Je pris ma cithare, et, comme le Psalmiste, j'élevai ma voix innocente et pure dans les célestes altitudes!!! *O altitudo altitudinum!*...

.. ..

7 mai...

Hélas! Ma poésie a replié ses ailes, mais, comme Galilée, je dirai, accablé par l'outrage et le supplice : Et pourtant elle se meut! — Lisez : elles se meuvent! — J'avais commis l'imprudence de laisser tomber la précédente confidence... J*** l'a ramassée, J***, le plus féroce des jansénistes, le plus rigoureux des séides du sup***, et l'a portée à son maître, en secret; mais le monstre, pour me faire sombrer sous l'insulte universelle, avait fait passer ma poésie dans les mains de tous ses amis!

Hier, le sup*** me mande; j'entre dans son appartement, je suis debout devant lui, fort de mon intérieur. Sur son front chauve frissonnait comme un éclair furtif son dernier cheveu roux; ses yeux émergeaient de sa graisse, mais calmes, paisibles; son nez, semblable à une batte, était mû par son branle habituel; il chuchotait un *oremus;* il mouilla l'extrémité de son pouce, tourna quelques feuilles de livre, et sortit un petit papier crasseux, plié...

> Granande Maarieie!...
> Mèèèree Chééérieie!

Il ravalait ma poésie! il crachait sur ma rose! il faisait le Brid'oison, le Joseph, le bêtiot, pour salir, pour souiller ce chant virginal; Il bégayait et prolongeait chaque syllabe avec un ricanement de haine concentré ; et quand il fut arrivé au cinquième vers, ... *Vierge enceininte!* il s'arrêta, contourna sa nasale, et! il éclata! *Vierge enceinte! Vierge enceinte!* il disait cela avec un ton, en fronçant avec un frisson son abdomen proéminent, avec un ton si affreux, qu'une pudique rougeur couvrit mon front. Je tombai à genoux, les bras vers le plafond, et je m'écriai : O mon père!...

.. ..

— Votre lyyyre! votre cithâre! jeune homme! votre cithâre! des effluves mystérieuses! qui vous secouaient l'âme! J'aurais voulu voir! Jeune âme, je remarque là dedans, dans cette confession impie, quelque chose de mondain, un abandon dangereux, de l'entraînement, enfin! —

Il se tut, fit frissonner de haut en bas son abdomen : puis, solennel :

— Jeune homme, avez-vous la foi?...

— Mon père, pourquoi cette parole? Vos lèvres plaisantent-elles?... Oui, je crois à tout ce que dit ma mère... la Sainte Eglise!

— Mais... Vierge enceinte!... C'est la conception, ça, jeune homme; c'est la conception!...

— Mon père! je crois à la conception...

— Vous avez raison! jeune homme! C'est une chose...

Il se tut... — Puis : Le jeune J*** m'a fait un rapport

où il constate chez vous un écartement des jambes, de jour en jour plus notoire, dans votre tenue à l'étude; il affirme vous avoir vu vous étendre de tout votre long sous la table, à la façon d'un jeune homme... dégingandé. Ce sont des faits auxquels vous n'avez rien à répondre... Approchez-vous, à genoux, tout près de moi; je veux vous interroger avec douceur; répondez : vous écartez beaucoup vos jambes, à l'étude?

Puis il me mettait la main sur l'épaule, autour du cou, et ses yeux devenaient clairs, et il me faisait dire des choses sur cet écartement des jambes... Tenez, j'aime mieux vous dire que ce fut dégoûtant, moi qui sais ce que cela veut dire, ces scènes-là!... Ainsi, on m'avait mouchardé, on avait calomnié mon cœur et ma pudeur, — et je ne pouvais rien dire à cela, les rapports, les lettres anonymes des élèves les uns contre les autres, au sup***, étant autorisées, et commandées, — et je venais dans cette chambre, me f... sous la main de ce gros!... Oh! le séminaire!...

.. ..

10 mai —

Oh! mes condisciples sont effroyablement méchants et effroyablement lascifs. A l'étude, ils savent tous, ces profanes, l'histoire de mes vers, et, aussitôt que je tourne la tête, je rencontre la face du poussif D***, qui me chuchote : Et ta cithare, et ta cithare? et ton journal? Puis, l'idiot L*** reprend : Et ta lyre? et ta cithare? Puis trois ou quatre chuchotent en chœur :

> Grande Marie...
> Mère chérie!

Moi, je suis un grand benêt : — Jésus, je ne me donne pas de coups de pied! — Mais enfin, je ne moucharde pas, et je n'écris pas d'ânonymes, et j'ai pour moi ma sainte poésie et ma pudeur!...

180

Ne devinez-vous pas pourquoi je meurs d'amour?
La fleur me dit : salut; l'oiseau me dit bonjour.
Salut; c'est le le printemps! c'est l'ange de tendresse!
Ne devinez-vous pas pourquoi je bous d'ivresse!
Ange de ma grand'mère, ange de mon berceau,
Ne devinez-vous pas que je deviens oiseau,
Que ma lyre frissonne et que je bats de l'aile
        Comme hirondelle?...

J'ai fait ces vers là hier, pendant la récréation; je suis entré dans la chapelle, je me suis enfermé dans un confessionnal, et là, ma jeune poésie a pu palpiter et s'envoler, dans le rêve et le silence, vers les sphères de l'amour. Puis, comme on vient m'enlever mes moindres papiers dans mes poches, la nuit et le jour, j'ai cousu ces vers en bas de mon dernier vêtement, celui qui touche immédiatement à ma peau, et, pendant l'étude, je tire, sous mes habits, ma poésie sur mon cœur, et je la presse longuement en rêvant...

15 mai. ――

Les événements se sont bien pressés, depuis ma dernière confidence, et des événements bien solennels, des événements qui doivent influer sur ma vie future et intérieure d'une façon sans doute bien terrible!

Thimothina Labinette, je t'adore!

Thimothina Labinette, je t'adore! je t'adore! laisse-moi chanter sur mon luth, comme le divin Psalmiste sur son Psaltérion, comment je t'ai vue, et comment mon cœur a sauté sur le tien pour un éternel amour!

Jeudi, c'était jour de sortie : nous, nous sortons deux heures; je suis sorti : ma mère, dans sa dernière lettre, m'avait dit : « ...tu iras, mon fils, occuper superficiellement ta sortie chez monsieur Césarin Labinette, un habitué à ton feu père, auquel il faut que tu sois présenté un jour ou l'autre avant ton ordination... »

... Je me présentai à monsieur Labinette, qui m'obligea beaucoup en me reléguant, sans mot dire, dans sa cuisine; sa fille, Thimothine, resta seule avec moi, saisit un

linge, essuya un gros bol ventru en l'appuyant contre son cœur, et me dit tout à coup, après un long silence : Eh bien, monsieur Léonard?...

Jusque là, confondu de me voir avec cette jeune créature dans la solitude de cette cuisine, j'avais baissé les yeux et invoqué dans mon cœur le nom sacré de Marie : je relevai le front en rougissant, et, devant la beauté de mon interlocutrice, je ne pus que balbutier un faible : Mademoiselle?...

Thimothine! tu étais belle! Si j'étais peintre, je reproduirais sur la toile tes traits sacrés sous ce titre : La Vierge au bol! Mais je ne suis que poète, et ma langue ne peut te célébrer qu'incomplètement...

La cuisinière noire, avec ses trous où flamboyaient les braises comme des yeux rouges, laissait échapper, de ses casseroles à minces filets de fumée, une odeur céleste de soupe aux choux et de haricots; et devant elle, aspirant avec ton doux nez l'odeur de ces légumes, regardant ton gros chat avec tes beaux yeux gris, ô Vierge au bol, tu essuyais ton vase! les bandeaux plats et clairs de tes cheveux se collaient pudiquement sur ton front jaune comme le soleil; de tes yeux courait un sillon bleuâtre jusqu'au milieu de ta joue, comme à Santa Teresa! ton nez, plein de l'odeur des haricots, soulevait ses narines délicates; un duvet léger, serpentant sur tes lèvres, ne contribuait pas peu à donner une belle énergie à ton visage; et, à ton menton, brillait un beau signe brun où frissonnaient de beaux poils follets : tes cheveux étaient sagement retenus à ton occiput par des épingles; mais une courte mèche s'en échappait... Je cherchai vainement tes seins; tu n'en as pas : tu dédaignes ces ornements mondains : ton cœur est tes seins!... Quand tu te retournas pour frapper de ton pied large ton chat doré, je vis tes omoplates saillant et soulevant ta robe, et je fus percé d'amour, devant le tortillement gracieux des deux arcs prononcés de tes reins!...

Dès ce moment, je t'adorai : j'adorais. non pas tes cheveux, non pas tes omoplates, non pas ton tortillement inférieurement postérieur : ce que j'aime en une femme, en une vierge, c'est la modestie sainte; ce qui me fait bondir d'amour, c'est la pudeur et la piété; c'est ce que j'adorai en toi, jeune bergère!...

Je tâchais de lui faire voir ma passion, et, du reste,
mon cœur, mon cœur me trahissait! Je ne répondais que
par des paroles entrecoupées à ses interrogations; plusieurs
fois, je lui dis Madame, au lieu de Mademoiselle, dans
mon trouble! Peu à peu, aux accents magiques de sa voix,
je me sentais succomber; enfin je résolus de m'abandonner,
de lâcher tout : et, à je ne sais plus quelle question qu'elle
m'adressa, je me renversai en arrière sur ma chaise, je mis
une main sur mon cœur, de l'autre je saisis dans ma poche
un chapelet dont je laissai passer la croix blanche, et, un
œil vers Thimothine, l'autre au ciel, je répondis doulou-
reusement et tendrement, comme un cerf à une biche :

— Oh! oui! Mademoiselle... Thimothina!!!!
Miserere! miserere! — Dans mon œil ouvert délicieusement vers le plafond tombe tout à coup une goutte de
saumure, dégouttant d'un jambon planant au-dessus de
moi, et, lorsque, tout rouge de honte, réveillé dans ma
passion, je baissai mon front, je m'aperçus que je n'avais
dans ma gauche, au lieu d'un chapelet, qu'un biberon
brun; — ma mère me l'avait confié l'an passé pour le donner au petit de la mère chose! — De l'œil que je tendais
au plafond découla la saumure amère : — mais, de l'œil
qui te regardait, ô Thimothina, une larme coula, larme
d'amour, et larme de douleur!

. . . .

Quelque temps, une heure après, quand Thimothina
m'annonça une collation composée de haricots et d'une
omelette au lard, tout ému de ses charmes, je répondis à
mi-voix : — J'ai le cœur si plein, voyez-vous, que cela
me ruine l'estomac! — Et je me mis à table; oh! je le sens
encore, son cœur avait répondu au mien dans son appel :
pendant la courte collation, elle ne mangea pas : — Ne
trouves-tu pas qu'on sent un goût? répétait-elle; son père
ne comprenait pas; mais mon cœur le comprit : c'était
la Rose de David, la Rose de Jessé, la Rose mystique de
l'Ecriture; c'était l'Amour!

Elle se leva brusquement, alla dans un coin de la cuisine et, me montrant la double fleur de ses reins, elle
plongea son bras dans un tas informe de bottes, de chaussures diverses, d'où s'élança son gros chat; et jeta tout
cela dans un vieux placard vide; puis elle retourna à sa

place, et interrogea l'atmosphère d'une façon inquiète; tout à coup, elle fronça le front, et s'écria :

— Cela sent encore!...

— Oui, cela sent, répondit son père assez bêtement : (il ne pouvait comprendre, lui le profane!)

Je m'aperçus bien que tout cela n'était dans ma chair vierge que les mouvements intérieurs de sa passion! Je l'adorais et je savourais avec amour l'omelette dorée, et mes mains battaient la mesure avec la fourchette, et, sous la table, mes pieds frissonnaient d'aise dans mes chaussures!...

Mais, ce qui me fut un trait de lumière, ce qui me fut comme un gage d'amour éternel, comme un diamant de tendresse de la part de Thimothina, ce fut l'adorable obligeance qu'elle eut, à mon départ, de m'offrir une paire de chaussettes blanches, avec un sourire et ces paroles :

— Voulez-vous cela pour vos pieds, Monsieur Léonard?

.. ..

16 mai. —

Thimothina! je t'adore, toi et ton père, toi et ton chat :

Thimothina : $\begin{cases} ... \textit{Vas devotionis,} \\ \textit{Rosa mystica,} \\ \textit{Turris Davidica,} \\ \textit{Cæli porta,} \\ \textit{Stella maris,} \end{cases}$ *Ora pro nobis!*

17 mai. —

Que m'importent à présent les bruits du monde et les bruits de l'étude? Que m'importent ceux que la paresse et la langueur courbent à mes côtés? Ce matin, tous les fronts, appesantis par le sommeil, étaient collés aux tables; un ronflement, pareil au cri du clairon du jugement dernier, un ronflement sourd et lent s'élevait de ce vaste Gethsémani. Moi, stoïque, serein, droit, et m'élevant au-dessus de tous ces morts comme un palmier au-dessus des ruines, méprisant les odeurs et les bruits incongrus, je

portais ma tête dans ma main, j'écoutais battre mon cœur
plein de Thimothina, et mes yeux se plongeaient dans
l'azur du ciel, entrevu par la vitre supérieure de la
fenêtre!...

— *18 mai* :

Merci à l'Esprit Saint qui m'a inspiré ces vers charmants : ces vers, je vais les enchâsser dans mon cœur; et,
quand le ciel me donnera de revoir Thimothina, je les lui
donnerai, en échange de ses chaussettes!...
Je l'ai intitulée *La Brise* :

>   Dans sa retraite de coton
>   Dort le zéphyr à douce haleine :
>   Dans son nid de soie et de laine
>   Dort le zéphyr au gai menton!
>
>   Quand le zéphyr lève son aile
>   Dans sa retraite de coton,
>   Quand il court où la fleur l'appelle,
>   Sa douce haleine sent bien bon!
>
>   O brise quintessenciée!
>   O quintessence de l'amour!
>   Quand la rosée est essuyée,
>   Comme ça sent bon dans le jour!
>
>   Jésus! Joseph! Jésus! Marie!
>   C'est comme une aile de condor
>   Assoupissant celui qui prie!
>   Ça nous pénètre et nous endort!
>   . . . .

La fin est trop intérieure et trop suave : je la conserve
dans le tabernacle de mon âme. A la prochaine sortie,
je lirai cela à ma divine et odorante Thimothina.
Attendons dans le calme et le recueillement.
. . . .

Date incertaine. Attendons!...

16 juin! —

Seigneur, que votre volonté se fasse : je n'y mettrai aucun obstacle! Si vous voulez détourner de votre serviteur

l'amour de Thimothina, libre à vous, sans doute : mais, Seigneur Jésus, n'avez-vous pas aimé vous-même, et la lance de l'amour ne vous a-t-elle pas appris à condescendre aux souffrances des malheureux! Priez pour moi!

Oh! j'attendais depuis longtemps cette sortie de deux heures du 15 juin : j'avais contraint mon âme, en lui disant : Tu seras libre ce jour-là : le 15 juin, je m'étais peigné mes quelques cheveux modestes, et, usant d'une odorante pommade rose, je les avais collés sur mon front, comme les bandeaux de Thimothina; je m'étais pommadé les sourcils; j'avais minutieusement brossé mes habits noirs, comblé adroitement certains déficits fâcheux dans ma toilette, et je me présentai à la sonnette espérée de monsieur Césarin Labinette. Il arriva, après un assez long temps, la calotte un peu crânement sur l'oreille, une mèche de cheveux raides et fort pommadés lui cinglant la face comme une balafre, une main dans la poche de sa robe de chambre à fleurs jaunes, l'autre sur le loquet... Il me jeta un bonjour sec, fronça le nez en jetant un coup d'œil sur mes souliers à cordons noirs, et s'en alla devant moi, les mains dans ses deux poches, ramenant en devant sa robe de chambre, comme fait l'abbé*** avec sa soutane, et modelant ainsi à mes regards sa partie inférieure.

Je le suivis.

Il traversa la cuisine, et j'entrai après lui dans son salon. Oh! ce salon! je l'ai fixé dans ma mémoire avec les épingles du souvenir! La tapisserie était à fleurs brunes; sur la cheminée, une énorme pendule en bois noir, à colonnes; deux vases bleus avec des roses; sur les murs, une peinture de la bataille d'Inkermann; et un dessin au crayon, d'un ami de Césarin, représentant un moulin avec sa meule soufflet un petit ruisseau semblable à un crachat, dessin que charbonnent tous ceux qui commencent à dessiner. La poésie est bien préférable!...

Au milieu du salon, une table à tapis vert, autour de laquelle mon cœur ne vit que Thimothina, quoiqu'il s'y trouvât un ami de monsieur Césarin, ancien exécuteur des œuvres sacristaines dans la paroisse de ***, et son épouse, madame de Riflandouille, et que monsieur Césarin lui-même vint s'y accouder de nouveau, aussitôt mon entrée.

Je pris une chaise rembourrée, songeant qu'une partie de moi-même allait s'appuyer sur une tapisserie faite sans doute par Thimothina, je saluai tout le monde, et, mon chapeau noir posé sur la table, devant moi, comme un rempart, j'écoutai...

Je ne parlais pas, mais mon cœur parlait! Les messieurs continuèrent la partie de cartes commencée : je remarquai qu'ils trichaient à qui mieux mieux, et cela me causa une surprise assez douloureuse. — La partie terminée, ces personnes s'assirent en cercle autour de la cheminée vide; j'étais à un des coins, presque caché par l'énorme ami de Césarin, dont la chaise seule me séparait de Thimothina : je fus content en moi-même du peu d'attention que l'on faisait à ma personne; relégué derrière la chaise du sacristain honoraire, je pouvais laisser voir sur mon visage les mouvements de mon cœur sans être remarqué de personne; je me livrai donc à un doux abandon; et je laissai la conversation s'échauffer et s'engager entre ces trois personnes; car Thimothina ne parlait que rarement; elle jetait sur son séminariste des regards d'amour, et, n'osant le regarder en face, elle dirigeait ses yeux clairs vers mes souliers bien cirés!... Moi, derrière le gros sacristain, je me livrais à mon cœur.

Je commençai par me pencher du côté de Thimothina, en levant les yeux au ciel. Elle était retournée. Je me relevai, et, la tête baissée vers ma poitrine, je poussai un soupir; elle ne bougea pas. Je remis mes boutons, je fis aller mes lèvres, je fis un léger signe de croix; elle ne vit rien. Alors, transporté, furieux d'amour, je me baissai très fort vers elle, en tenant mes mains comme à la communion, et en poussant un ah!... prolongé et douloureux; *Miserere!* tandis que je gesticulais, que je priais, je tombai de ma chaise avec un bruit sourd, et le gros sacristain se retourna en ricanant, et Thimothina dit à son père :

— Tiens, monsieur Léonard qui coule par terre!

Son père ricana! *Miserere!*

Le sacristain me repiqua, rouge de honte et faible d'amour, sur ma chaise rembourrée, et me fit une place. Mais je baissai les yeux, je voulus dormir! Cette société m'était importune, elle ne devinait pas l'amour qui souffrait là dans l'ombre : je voulus dormir! mais j'entendis la conversation se tourner sur moi!...

Je rouvris faiblement les yeux...

Césarin et le sacristain fumaient chacun un cigare

maigre, avec toutes les mignardises possibles, ce qui rendait leurs personnes effroyablement ridicules; madame la sacristaine, sur le bord de sa chaise, sa poitrine cave penchée en avant, ayant derrière elle tous les flots de sa robe jaune qui lui bouffaient jusqu'au cou, et épanouissant autour d'elle son unique volant, effeuillait délicieusement une rose : un sourire affreux entr'ouvrait ses lèvres, et montrait à ses gencives maigres deux dents noires, jaunes, comme la faïence d'un vieux poêle. — Toi, Thimothina, tu étais belle, avec ta collerette blanche, tes yeux baissés, et tes bandeaux plats!

— C'est un jeune homme d'avenir; son présent inaugure son futur, disait en laissant aller un flot de fumée grise le sacristain...

— Oh! monsieur Léonard illustrera la robe! nasilla la sacristaine : les deux dents parurent!...

Moi je rougissais à la façon d'un garçon de bien; je vis que les chaises s'éloignaient de moi, et qu'on chuchotait sur mon compte...

Thimothina regardait toujours mes souliers; les deux sales dents me menaçaient... le sacristain riait ironiquement : j'avais toujours la tête baissée!...

— Lamartine est mort... dit tout à coup Thimothina.

Chère Thimothine! C'était pour ton adorateur, pour ton pauvre poète Léonard, que tu jetais dans la conversation ce nom de Lamartine; alors, je relevai le front, je sentis que la pensée seule de la poésie allait refaire une virginité à tous ces profanes, je sentais mes ailes palpiter, et je dis, rayonnant, l'œil sur Thimothina :

— Il avait de beaux fleurons à sa couronne, l'auteur des *Méditations poétiques!*

— Le cŷgne des vers est défunt! dit la sacristaine!

— Oui, mais il a chanté son chant funèbre, repris-je, enthousiasmé.

— Mais, s'écria la sacristaine, monsieur Léonard est poète aussi! Sa mère m'a montré l'an passé des essais de sa muse...

Je jouai d'audace :

— Oh! Madame, je n'ai apporté ni ma lyre ni ma cithare; mais...

— Oh! votre cithare! vous l'apporterez un autre jour...

— Mais, ce néanmoins, si cela ne déplaît pas à l'hono

rable, — et je tirai un morceau de papier de ma poche, — je vais vous lire quelques vers... Je les dédie à mademoiselle Thimothina.

— Oui! oui! jeune homme! très bien! récitez, récitez, mettez-vous au bout de la salle...

Je me reculai... Thimothina regardait mes souliers... La sacristaine faisait la Madone; les deux messieurs se penchaient l'un vers l'autre... Je rougis, je toussai, et je dis en chantant tendrement

> Dans sa retraite de coton
> Dort le zéphyr à douce haleine...
> Dans son nid de soie et de laine
> Dort le zéphyr au gai menton.

Toute l'assistance pouffa de rire : les messieurs se penchaient l'un vers l'autre en faisant de grossiers calembours; mais ce qui était surtout effroyable, c'était l'air de la sacristaine, qui, l'œil au ciel, faisait la mystique, et souriait avec des dents affreuses! Thimothina, Thimothina crevait de rire! Cela me perça d'une atteinte mortelle, Thimothina se tenait les côtes!... — Un doux zéphyr dans du coton, c'est suave, c'est suave!... faisait en reniflant le père Césarin... Je crus m'apercevoir de quelque chose... mais cet éclat de rire ne dura qu'une seconde : tous essayèrent de reprendre leur sérieux, qui pétait encore de temps en temps...

— Continuez, jeune homme, c'est bien, c'est bien!

> Quand le zéphyr lève son aile
> Dans sa retraite de coton,...
> Quand il court où la fleur l'appelle,
> Sa douce haleine sent bien bon...

Cette fois, un gros rire secoua mon auditoire; Thimothina regarda mes souliers : j'avais chaud, mes pieds brûlaient sous son regard, et nageaient dans la sueur; car je me disais : ces chaussettes que je porte depuis un mois, c'est un don de son amour, ces regards qu'elle jette sur mes pieds, c'est un témoignage de son amour : elle m'adore!

Et voici que je ne sais quel petit goût me parut sortir de mes souliers : oh! je compris les rires horribles de l'assemblée! Je compris qu'égarée dans cette société méchante, Thimothina Labinette, Thimothina ne pourrait jamais donner un libre cours à sa passion! Je compris qu'il me fallait dévorer, à moi aussi, cet amour douloureux éclos dans mon cœur une après-midi de mai, dans une cuisine des Labinette, devant le tortillement postérieur de la Vierge au bol!

— Quatre heures, l'heure de la rentrée, sonnaient à la pendule du salon; éperdu, brûlant d'amour et fou de douleur, je saisis mon chapeau, je m'enfuis en renversant une chaise, je traversai le corridor en murmurant : J'adore Thimothine, et je m'enfuis au séminaire sans m'arrêter...

Les basques de mon habit noir volaient derrière moi, dans le vent, comme des oiseaux sinistres!...

.. ..
.. ..

30 juin.

Désormais, je laisse à la muse divine le soin de bercer ma douleur; martyr d'amour à dix-huit ans, et, dans mon affliction, pensant à un aûtre martyr du sexe qui fait nos joies et nos bonheurs, n'ayant plus celle que j'aime, je vais aimer la foi! Que le Christ, que Marie me pressent sur leur sein : je les suis : je ne suis pas digne de dénouer les cordons des souliers de Jésus; mais ma douleur! mais mon supplice! Moi aussi, à dix-huit ans et sept mois, je porte une croix, une couronne d'épines! mais, dans la main, au lieu d'un roseau, j'ai une cithare! Là sera le dictame à ma plaie!...

.. ..

— Un an après, 1er août —

Aujourd'hui on m'a revêtu de la robe sacrée; je vais servir Dieu; j'aurai une cure et une modeste servante dans un riche village. J'ai la foi; je ferai mon salut, et sans être dispendieux, je vivrai comme un bon serviteur de Dieu avec sa servante. Ma mère la sainte Eglise me réchauffera dans son sein : qu'elle soit bénie! que Dieu soit béni!

... Quant à cette passion cruellement chérie que je ren-

ferme au fond de mon cœur, je saurai la supporter avec
constance : sans la raviver précisément, je pourrai m'en
rappeler quelquefois le souvenir; ces choses-là sont bien
douces! — Moi, du reste, j'étais né pour l'amour et pour
la foi! — Peut-être un jour, revenu dans cette ville,
aurai-je le bonheur de confesser ma chère Thimothina?...
Puis, je conserve d'elle un doux souvenir : depuis un an,
je n'ai pas défait les chaussettes qu'elle m'a données...

Ces chaussettes-là, mon Dieu! je les garderai à mes pieds
jusque dans votre saint Paradis!...

LETTRE DU BARON
DE PETDECHÈVRE
A SON SECRÉTAIRE
AU CHATEAU DE SAINT-MAGLOIRE

Texte politique et satirique, publié sous la signature de Jean Marcel, dans un journal de Charleville, *Le Nord-Est,* le 16 septembre 1871. Découvert et attribué à Rimbaud par Jules Mouquet, en 1949.

LETTRE
DU
BARON DE PETDECHÈVRE

A SON SECRÉTAIRE
AU CHATEAU DE SAINT-MAGLOIRE

Versailles, 9 septembre 1871.

La France est sauvée, mon cher Anatole, et vous avez bien raison de dire que j'y ai grandement contribué. Mon discours — je devrais dire *notre* discours — n'a pu trouver place dans la fameuse discussion, mais j'en ai prononcé dans le couloir, au milieu de nos amis, l'entraînante péroraison. Ils hésitaient... ils ont voté. *Veni, vidi, vici!* J'ai compris cette fois l'influence que je puis exercer un jour sur certains groupes parlementaires.

Du reste, j'en avais eu le pressentiment, à mon dernier congé, lorsque ma blonde et intelligente Sidonie, assistant à notre répétition, s'écria : « Papa! tu me fais je ne sais quoi quand tu te prends au sérieux! »

Tu me fais je ne sais quoi!... O adorable aveu! Je portais dans ce jeune cœur le trouble de l'éloquence, et ce trouble est le précurseur de la persuasion. (Répétez ma phrase au curé, en faisant le mistigri.)

Donc la France est sauvée, la noblesse est sauvée, la religion est sauvée, *nous sommes constituants!*

Quand constituerons-nous? Quand il nous plaira, messieurs. — Et monsieur Thiers? me direz-vous. — Monsieur Thiers! peuh! que serait-il sans nous? Aussi s'est-il rallié à notre proposition, donnant le bout de ses doigts à baiser aux républicains, et nous prenant le cou pour nous dire à l'oreille : « Patience! vous serez rois! » — Et la gauche? — La gauche!... qu'est-ce que c'est que ça, la gauche? Voyons, Anatole, si ça ne se croyait pas constituant, est-ce que ça resterait avec les constituants? On se fait de fausses idées de ces gens-là.

Ils sont en somme beaucoup plus accommodants qu'on ne pense. Les vieux se convertissent et se frappent la poitrine à la tribune et à la Cour d'assises; ils ont la manie des confessions publiques qui discréditent le pénitent et peuvent déconsidérer le parti. Les jeunes ont de l'ambition et se tiennent prêts à tout événement. Il y a bien quelques braillards qui soulèvent de ridicules tempêtes autour de la tribune, mais c'est nous qui brandissons les tonnerres, et les braillards qui voudront lutter jusqu'au bout mourront de phtisie laryngée.

Il faut que nous nous reposions maintenant; nous l'avons bien gagné, ce repos qu'on veut nous mesurer parcimonieusement. Nous avons réorganisé une armée, bombardé Paris, écrasé l'insurrection, fusillé les insurgés, jugé leurs chefs, établi le pouvoir constituant, berné la République, préparé un ministère monarchiste et fait quelques lois qu'on refera tôt ou tard. — Ce n'était pas pour faire des lois que nous étions venus à Versailles! On est homme, Anatole, avant d'être législateur. On n'a pas fait ses foins, on veut faire au moins ses vendanges.

Vous êtes heureux, vous! Ces dames vous réclamaient, vous êtes parti sans tambour ni trompette, me laissant deux discours à apprendre et des interruptions à répéter. Vous avez ouvert la chasse, vous avez pêché; vous m'avez envoyé des cailles et des truites; nous les avons mangées; c'est bien. Après!...

Ah! comme j'ai planté là les discours et les interruptions, pour demander un congé.

— C'est le cent trente-septième que j'inscris cette semaine, m'a dit le président.

J'étais vexé. Ce M. Target m'a décidé à attendre. Ah! le charmant homme, et comme il comprend les aspirations de l'Assemblée!

... Anatole, je vous envoie sa photographie, pour l'album de Sidonie. Faites-le mettre en bonne place, entre le général du Temple et M. de Bel-Castel, qui m'honorent de leurs confidences.

Nous partirons vers la fin du mois; il y a encore de beaux jours en octobre : vous savez, ces beaux soleils qui percent la brume et dissipent... dissipent... Vous me comprenez! Je ne suis pas poète, moi; je suis orateur!

On a pris patience, à la Chambre, jusqu'à cette heure, grâce aux conseils de guerre et à la proposition Ravinel.

Oh! conseils de guerre!... Tenez, nous sommes aux anges, mon cher. L'opinion des honnêtes gens a profondément ému ces braves juges militaires, un moment fourvoyés dans les sentiers tortueux de la clémence et de la pitié. Les voilà dans le bon chemin, dans le droit chemin, justes cette fois, mais surtout sévères. Avez-vous vu comme ils ont condamné Pipe-en-Bois?... Nous avons notre revanche, citoyens de la Commune!

Et puis, je ne vous le cache pas, Anatole, il fallait un exemple. Il ne sera pas dit qu'on aura pu être impunément avec Gambetta!

Gambetta!... Tenez, je pense quelquefois que Sidonie en a raffolé trois semaines et cela trouble mes nuits... Dites-lui que je lui pardonne. Elle verra à la rentrée comme je montre le poing, sous la tribune, quand nous nous réunissons entre amis, pour maudire le dictateur.

Ah! il n'a pas osé placer son mot dans la question Ravinel. Entre nous, Anatole, je crois que je lui fais peur. Il demandait, l'autre jour, dans le parc, sans me montrer du doigt, bien entendu : « Quel est donc ce Brésilien? » Sidonie prétend que je me tiens un peu trop; mais puisque ça me donne l'air farouche!...

N'importe, j'ai eu beau montrer le poing à la gauche, nous n'avons pas pu enlever cette affaire Ravinel. Nous restons à Versailles, indéfiniment, mais les services publics ne viennent pas s'y établir.

Après?... Qu'est-ce que ça me fait? J'aime ce provisoire, moi. Versailles est un faubourg de Paris et pourtant ce n'est plus Paris. Tout est là. Etre et ne pas être à Paris.

Si l'on nous eût proposé Nantes ou Lyon, ou Bordeaux, nous aurions nettement refusé. Ce sont des villes révolutionnaires d'abord; la garde nationale n'y est pas encore dissoute et les conseillers municipaux y sont outrageusement républicains. Ah! mon pauvre ami, on n'est plus en sûreté nulle part en province. Peut-être cependant qu'à Saint-Magloire!... Ça, c'est une idée; vous me présenterez un projet d'amendement à la rentrée.

Mais en principe, voyez-vous, ne me parlez pas de siéger à cinquante ou deux cents lieues de Paris. A Bordeaux, c'était bon après la guerre. On était près de Libourne et d'Arcachon. Nous avions besoin d'air pur après tant d'émotions et Paris ne pouvait nous donner cet air pur. Quelques milliers d'imbéciles s'étaient fait tuer bêtement dans la banlieue malgré le général Trochu; dans la ville il était mort cinq mille sept cents personnes en huit jours, pauvres victimes d'une stupide obstination... Maintenant, c'est autre chose et me voilà mi-partie Parisien. Que le président ait ou n'ait pas dit : « Messieurs, la séance est levée! » je prends le train de cinq heures et demie. C'est charmant, par la rive gauche. Et puis, quelles rencontres en chemin de fer! Vous aimiez l'imprévu, vous aussi, Anatole!

A sept heures, je dîne au Café d'Orsay, ou chez Ledoyen. A huit heures, je ne suis plus député, je ne suis plus baron, si je veux, je ne suis plus Petdechèvre, je suis un noble étranger perdu dans Paris.

Anatole, cette lettre est une lettre politique, lettre close à la baronne et à Sidonie! Mais si jamais vous êtes député, rappelez-vous que le bonheur et la vérité sont dans les moyens termes. Le jour à Versailles, la nuit à Paris : c'est la seule solution satisfaisante de la grande question Ravinel.

Jehan-Godefroid-Adalbert-Carolus-Adamastor
baron de PETDECHÈVRE.

Pour copie plus ou moins conforme :

JEAN MARCEL.

P. S. — Eh bien! eh bien! j'en apprends de belles par le dernier courrier! Qui donc a révolutionné Saint-Magloire! Sur 287 électeurs, 233 ont pétitionné pour la dissolution!... Anatole, je vais demander un congé!... Mais du moins, peut-on se risquer là-bas?

LES DESERTS DE L'AMOUR

Texte de 1872, publié d'après un manuscrit autographe ayant fait partie de la collection Louis Barthou.

LES
DESERTS DE L'AMOUR

AVERTISSEMENT

Ces écritures-ci sont d'un jeune, tout jeune homme, dont la vie s'est développée n'importe où; sans mère, sans pays, insoucieux de tout ce qu'on connaît, fuyant toute force morale, comme furent déjà plusieurs pitoyables jeunes hommes. Mais, lui, si ennuyé et si troublé, qu'il ne fit que s'amener à la mort comme à une pudeur terrible et fatale. N'ayant pas aimé de femmes, — quoique plein de sang! — il eut son âme et son cœur, toute sa force, élevés en des erreurs étranges et tristes. Des rêves suivants, — ses amours! — qui lui vinrent dans ses lits ou dans les rues, et de leur suite et de leur fin, de douces considérations religieuses se dégagent. Peut-être se rappellera-t-on le sommeil continu des Mahométans légendaires, — braves pourtant et circoncis! Mais, cette bizarre souffrance possédant une autorité inquiétante, il faut sincèrement désirer que cette Ame, égarée parmi nous tous, et qui veut la mort, ce semble, rencontre en cet instant-là des consolations sérieuses et soit digne!

C'est, certes, la même campagne. La même maison rustique de mes parents : la même salle où les dessus de portes sont des bergeries roussies, avec des armes et des lions. Au dîner, il y a un salon avec des bougies et des vins et des boiseries rustiques. La table à manger est très grande. Les servantes! elles étaient plusieurs, autant que je m'en suis souvenu. — Il y avait là un de mes jeunes amis anciens, prêtre et vêtu en prêtre; maintenant : c'était pour être plus libre. Je me souviens de sa chambre de pourpre, à vitres de papier jaune : et ses livres, cachés, qui avaient trempé dans l'océan!

Moi, j'étais abandonné, dans cette maison de campagne sans fin : lisant dans la cuisine, séchant la boue de mes habits devant les hôtes, aux conversations du salon : ému jusqu'à la mort par le murmure du lait du matin et de la nuit du siècle dernier.

J'étais dans une chambre très sombre : que faisais-je? Une servante vint près de moi : je puis dire que c'était un petit chien : quoiqu'elle fût belle, et d'une noblesse maternelle inexprimable pour moi : pure, connue, toute charmante! Elle me pinça le bras.

Je ne me rappelle même plus bien sa figure : ce n'est pas pour me rappeler son bras, dont je roulai la peau dans mes deux doigts; ni sa bouche, que la mienne saisit comme une petite vague désespérée, minant sans fin quelque chose. Je la renversai dans une corbeille de coussins et de toiles de navire, en un coin noir. Je ne me rappelle plus que son pantalon à dentelles blanches.

Puis, ô désespoir! la cloison devint vaguement l'ombre des arbres, et je me suis abîmé sous la tristesse amoureuse de la nuit.

Cette fois, c'est la Femme que j'ai vue dans la Ville, et à qui j'ai parlé et qui me parle.

J'étais dans une chambre, sans lumière. On vint me dire qu'elle était chez moi : et je la vis dans mon lit, toute à moi, sans lumière! Je fus très ému, et beaucoup parce que c'était la maison de famille : aussi une détresse me prit! J'étais en haillons, moi, et elle, mondaine qui se donnait : il lui fallait s'en aller! Une détresse sans nom :

je la pris, et la laissai tomber hors du lit, presque nue; et, dans ma faiblesse indicible, je tombai sur elle et me traînai avec elle parmi les tapis, sans lumière! La lampe de la famille rougissait l'une après l'autre les chambres voisines. Alors, la femme disparut. Je versai plus de larmes que Dieu n'en a pu jamais demander.

Je sortis dans la ville sans fin. O fatigué! Noyé dans la nuit sourde et dans la fuite du bonheur. C'était comme une nuit d'hiver, avec une neige pour étouffer le monde décidément. Les amis auxquels je criais : où reste-t-elle, répondaient faussement. Je fus devant les vitrages de là où elle va tous les soirs : je courais dans un jardin enseveli. On m'a repoussé. Je pleurais énormément, à tout cela. Enfin, je suis descendu dans un lieu plein de poussière, et, assis sur des charpentes, j'ai laissé finir toutes les larmes de mon corps avec cette nuit. — Et mon épuisement me revenait pourtant toujours.

J'ai compris qu'Elle était à sa vie de tous les jours; et que le tour de bonté serait plus long à se reproduire qu'une étoile. Elle n'est pas revenue, et ne reviendra jamais, l'Adorable qui s'était rendue chez moi, — ce que je n'aurais jamais présumé. Vrai, cette fois j'ai pleuré plus que tous les enfants du monde.

[SUITE JOHANNIQUE]

Brouillons sans titres datant de 1873, et apparemment inspirés par l'Evangile selon saint Jean.

[ÉBAUCHES]

A SAMARIE, plusieurs ont manifesté leur [*loyaut*] foi en lui. Il ne les a pas vus. Samarie [*s'enorgueillissait d*] la parvenue, [*la perfide*] l'égoïste, plus rigide observatrice de sa loi protestante que Juda des tables antiques. Là la richesse universelle permettait bien peu de discussion éclairée. Le sophisme, esclave et soldat de la routine, y avait déjà après les avoir flattés, égorgé plusieurs prophètes.

C'était un mot sinistre, celui de la femme à la fontaine : « Vous êtes prophète, vous savez ce que j'ai fait. »

Les femmes et les hommes [*attend*] croyaient aux prophètes. Maintenant on croit à [*des*] l'homme d'état.

A deux pas de la ville étrangère, incapable de la menacer matériellement, s'il était trahi [*pris*] comme prophète, puisqu'il [*avait*] s'était montré là si bizarre, qu'aurait-il fait?

Jésus n'a rien pu dire à Samarie, [*pas laissé de paroles*].

L'AIR léger et charmant de la Galilée : les habitants le reçurent avec une joie curieuse : ils l'avaient vu, secoué par la sainte colère, fouetter les changeurs et les marchands de gibier du temple. Miracle de la jeunesse pâle et furieuse, croyaient-ils.

Il sentit sa main aux mains chargées de bagues et à la bouche d'un officier. L'officier était à genoux dans la poudre : et [*son*] sa tête était assez plaisante, quoique à demi chauve.

Les voitures filaient dans les étroites rues [*de la ville*]; un mouvement assez fort pour ce bourg; tout semblait devoir être trop content ce soir-là.

Jésus retira sa main : [*et*] il eut un mouvement d'orgueil enfantin et féminin. « Vous autres, si vous ne voyez [*point*] des miracles, vous ne croyez point. »

Jésus n'avait point encor fait de miracles. Il avait, dans une noce, dans une salle à manger verte et rose, parlé un peu hautement à la Sainte Vierge. Et personne n'avait parlé du vin de Cana à Capharnaüm, ni sur le marché. ni sur les quais. Les bourgeois peut-être.

Jésus [*partit*] dit : « Allez, votre fils se porte bien. » L'officier s'en alla, comme on porte quelque pharmacie légère [*une fiole d'huile douce de*] et Jésus [*alla*] continua par les rues moins fréquentées. Des liserons [*rouges*] oranges, des bourraches montraient leur lueur magique entre les pavés. Enfin il vit au loin [*les prés*] la prairie poussiéreuse, et les boutons d'or et les marguerites demandant grâce au jour.

[*La piscine de*] Beth-Saïda, la piscine des cinq galeries, était un point d'ennui. Il semblait que ce fût un sinistre lavoir, toujours accablé de la pluie et moisi; et les mendiants s'agitant sur les marches intérieures [*éclairées*] blêmies par ces lueurs d'orages précurseurs des éclairs d'enfer, en plaisantant sur leurs yeux bleus aveugles, sur les linges blancs ou bleus dont s'entouraient leurs moignons. O buanderie militaire, ô bain populaire. L'eau était toujours noire, et nul infirme n'y tombait même en songe.

[*Mais*] C'est là que Jésus fit sa première action grave; avec les infâmes infirmes. Il y avait un jour, de février, mars ou avril, où le soleil de 2 h. après midi laissait s'étaler une grande faux de lumière sur l'eau ensevelie; et comme là-bas, loin derrière les infirmes, j'aurais pu [*suivre*] voir tout ce que ce rayon seul éveillait de bourgeons et de cristaux, et de vers, dans ce reflet, pareil à un ange [*cou*] blanc couché sur le côté, tous les reflets infiniment pâles [*dansaient*] remuaient.

[*Les* [*para*] *infirmes avaient alors le désir de sillonner l'eau de la* [*piscine*]. Alors tous les péchés, fils légers [*du*] et tenaces du démon, qui pour les cœurs un peu sensibles, rendaient ces hommes plus effrayants que les monstres, voulaient se jeter à cette eau. Les infirmes descendaient, ne raillant plus; mais [*froid*] avec envie.

Les premiers entrés sortaient guéris, disait-on. Non. Les péchés les rejetaient sur les marches; et les forçaient de chercher d'autres postes : car leur Démon ne peut rester qu'aux lieux où l'aumône est sûre.

[*Un signe de vous, ô volonté divine; et toute obéissance est prévue presque avant...*]

Jésus entra aussitôt après l'heure de midi. Personne ne lavait ni ne descendait de bêtes. La lumière dans la piscine était jaune comme les dernières feuilles des vignes. Le divin maître se tenait contre une colonne : il regardait les fils du Péché; le démon tirait sa langue en leur langue; et riait ou niait.

[*Un*] Le Paralytique se leva. qui était resté couché sur le flanc, et ce fut d'un pas singulièrement assuré qu'ils le virent partir [*franchir la galerie*] et disparaître dans la ville, les Damnés.

CHOIX DE LETTRES.

A THÉODORE DE BANVILLE

Charleville (Ardennes), le 24 mai 1870.

Cher Maître,

Nous sommes aux mois d'amour; j'ai dix-sept ans. L'âge des espérances et des chimères, comme on dit, — et voici que je me suis mis, enfant touché par le doigt de la Muse, — pardon si c'est banal, — à dire mes bonnes croyances, mes espérances, mes sensations, toutes ces choses des poètes, — moi j'appelle cela du printemps.

Que si je vous envoie quelques-uns de ces vers, — et cela en passant par Alph. Lemerre, le bon éditeur, — c'est que j'aime tous les poètes, tous les bons Parnassiens, — puisque le poète est un Parnassien, — épris de la beauté idéale; c'est que j'aime en vous, bien naïvement, un descendant de Ronsard, un frère de nos maîtres de 1830, un vrai romantique, un vrai poète. Voilà pourquoi. — C'est bête, n'est-ce pas, mais enfin?...

Dans deux ans, dans un an peut-être, je serai à Paris. — Anch'io, messieurs du journal, je serai Parnassien! — Je ne sais ce que j'ai là... qui veut monter... — Je jure, cher maître, d'adorer toujours les deux déesses, Muse et Liberté.

Ne faites pas trop la moue en lisant ces vers ... Vous me rendriez fou de joie et d'espérance, si vous vouliez, cher Maître, *faire faire* à la pièce *Credo in unam* une petite place entre les Parnassiens... Je viendrais à la dernière série du *Parnasse :* cela ferait le Credo des poètes!... — Ambition! ô Folle!

ARTHUR RIMBAUD.

[Suivaient trois poèmes.]
Si ces vers trouvaient place au *Parnasse contemporain?* — Ne sont-ils pas la foi des poètes?
— Je ne suis pas connu; qu'importe? les poètes sont frères. Ces vers croient; ils aiment; ils espèrent : c'est tout.
— Cher maître, à moi : Levez-moi un peu : je suis jeune : tendez-moi la main...

A GEORGES IZAMBARD

27, rue de l'Abbaye-des-Prés,
Douai (Nord).

Très pressé.

Charleville, 25 août 1870.

Monsieur,

Vous êtes heureux, vous, de ne plus habiter Charleville!
Ma ville natale est supérieurement idiote entre les petites
villes de province. Sur cela, voyez-vous, je n'ai plus d'illu-
sions. Parce qu'elle est à côté de Mézières, — une ville
qu'on ne trouve pas, — parce qu'elle voit pérégriner dans
ses rues deux ou trois cents de pioupious, cette benoîte
population gesticule, prud'hommesquement spadassine,
bien autrement que les assiégés de Metz et de Strasbourg!
C'est effrayant, les épiciers retraités qui revêtent l'uni-
forme! C'est épatant comme ça a du chien, les notaires,
les vitriers, les percepteurs, les menuisiers et tous les
ventres, qui, chassepot au cœur, font du patrouillotisme
aux portes de Mézières; ma patrie se lève!... Moi, j'aime
mieux la voir assise : ne remuez pas les bottes! c'est mon
principe.

Je suis dépaysé, malade, furieux, bête, renversé; j'espé-
rais des bains de soleil, des promenades infinies, du repos,
des voyages, des aventures, des bohémienneries enfin; j'es-
pérais surtout des journaux, des livres... Rien! Rien! Le
courrier n'envoie plus rien aux libraires; Paris se moque
de nous joliment : pas un seul livre nouveau! c'est la
mort! Me voilà réduit, en fait de journaux, à l'honorable
Courrier des Ardennes, — propriétaire, gérant, directeur,
rédacteur en chef et rédacteur unique : A. Pouillard! Ce
journal résume les aspirations, les vœux et les opinions de
la population : ainsi jugez! c'est du propre!... On est
exilé dans sa patrie!!!

Heureusement, j'ai votre chambre : — Vous vous rap-
pelez la permission que vous m'avez donnée. — J'ai emporté la moitié de vos livres! J'ai pris *Le Diable à Paris.*

Dites-moi un peu s'il y a jamais eu quelque chose de plus idiot que les dessins de Granville? — J'ai *Costal l'Indien,* j'ai *La Robe de Nessus,* deux romans intéressants. Puis, que vous dire?... J'ai lu tous vos livres, tous; il y a trois jours, je suis descendu aux *Epreuves,* puis aux *Glaneuses,* — oui! j'ai relu ce volume! — puis ce fut tout!... Plus rien; votre bibliothèque, ma dernière planche de salut, était épuisée!... Le *Don Quichotte* m'apparut; hier, j'ai passé, deux heures durant, la revue des bois de Doré : maintenant, je n'ai plus rien!

Je vous envoie des vers; lisez cela un matin, au soleil, comme je les ai faits : vous n'êtes plus professeur, maintenant, j'espère!...

.. ..

J'ai les *Fêtes Galantes* de Paul Verlaine, un joli in-12 écu. C'est fort bizarre, très drôle; mais vraiment, c'est adorable. Parfois de fortes licences : ainsi,

> *Et la tigresse épou-vantable d'Hyrcanie*

est un vers de ce volume.

Achetez, je vous le conseille, *La Bonne Chanson,* un petit volume de vers du même poète : ça vient de paraître chez Lemerre; je ne l'ai pas lu : rien n'arrive ici; mais plusieurs journaux en disent beaucoup de bien.

Au revoir, envoyez-moi une lettre de 25 pages — poste restante — et bien vite!

P. S. — A bientôt, des révélations sur la vie que je vais mener après... les vacances...

AU MÊME

Paris, le 5 septembre 1870.

Cher Monsieur,

Ce que vous me conseilliez de ne pas faire, je l'ai fait : je suis allé à Paris, quittant la maison maternelle! J'ai fait ce tour le 29 août.

Arrêté en descendant de wagon pour n'avoir pas un sou et devoir treize francs de chemin de fer, je fus conduit à la préfecture, et, aujourd'hui, j'attends mon jugement à Mazas! — Oh! *J'espère en vous* comme en ma mère; vous m'avez toujours été comme un frère : je vous demande instamment cette aide que vous m'offrîtes. J'ai écrit à ma mère, au procureur impérial, au commissaire de police de Charleville; si vous ne recevez de moi aucune nouvelle mercredi, avant le train qui conduit de Douai à Paris, *prenez ce train, venez ici me réclamer par lettre, ou en vous présentant au procureur,* en priant, en *répondant de moi,* en *payant ma dette!* Faites tout ce que vous pourrez, et, quand vous recevrez cette lettre, écrivez, vous aussi, *je vous l'ordonne,* oui, *écrivez à ma pauvre mère,* (Quai de la Madeleine, 5, Charlev.) *pour la consoler! Écrivez-moi* aussi; faites tout! Je vous aime comme un frère, je vous aimerai comme un père.

Je vous serre la main.

Votre pauvre

ARTHUR RIMBAUD
à Mazas.

Et si vous parvenez à me libérer, vous m'emmènerez à Douai avec [vous.]

AU MÊME

Charleville, le 2 novembre 1870.

Monsieur,

— A vous seul ceci. —

Je suis rentré à Charleville un jour après vous avoir quitté. Ma mère m'a reçu, et je suis là... tout à fait oisif. Ma mère ne me mettrait en pension qu'en janvier 71.

Eh bien, j'ai tenu ma promesse.

Je meurs, je me décompose dans la platitude, dans la mauvaiseté, dans la grisaille. Que voulez-vous, je m'entête affreusement à adorer la liberté libre, et... un tas de choses que « *ça fait pitié* », n'est-ce pas? Je devais repartir aujourd'hui même; je le pouvais : j'étais vêtu de neuf, j'aurais vendu ma montre, et vive la liberté! — Donc je suis resté! je suis resté! — et je voudrai repartir encore bier des fois. — Allons, chapeau, capote, les deux poings dans les poches, et sortons. — Mais je resterai, je resterai. Je n'ai pas promis cela! Mais je le ferai pour mériter votre affection : vous me l'avez dit. Je la mériterai.

La reconnaissance que je vous ai, je ne saurais pas vous l'exprimer aujourd'hui plus que l'autre jour. Je vous la prouverai! Il s'agirait de faire quelque chose pour vous, que je mourrais pour le faire, — je vous en donne ma parole.

J'ai encore un tas de choses à dire...

Ce « sans-cœur » de

A. RIMBAUD

Guerre; pas de siège de Mézières. Pour quand? On n'en parle pas. J'ai fait votre commission à M. Deverrière, et, s'il faut faire plus, je le ferai. — Par ci, par là, des francs-tirades. Abominable prurigo d'idiotisme, tel est l'esprit de la population. On en entend de belles, allez. C'est dissolvant!

AU MÊME

Charleville, [13] mai 1871.

Cher Monsieur!   .

Vous revoilà professeur. On se doit à la Société, m'avez vous dit; vous faites partie des corps enseignants : vous roulez dans la bonne ornière. — Moi aussi, je suis le principe : je me fais cyniquement entretenir; je déterre d'anciens imbéciles de collège : tout ce que je puis inventer de bête, de sale, de mauvais, en action et en paroles, je le leur livre : on me paie en bocks et en filles. Stat mater dolorosa, dum pendet filius. — Je me dois à la Société, c'est juste, — et j'ai raison. — Vous aussi, vous avez raison, pour aujourd'hui. Au fond, vous ne voyez en votre principe que poésie subjective : votre obstination à regagner le râtelier universitaire — pardon! — le prouve. Mais vous finirez toujours comme un satisfait qui n'a rien fait, n'ayant rien voulu faire. Sans compter que votre poésie subjective sera toujours horriblement fadasse. Un jour, j'espère, — bien d'autres espèrent la même chose, — je verrai dans votre principe la poésie objective, je la verrai plus sincèrement que vous ne le feriez! — Je serai un travailleur : c'est l'idée qui me retient quand les colères folles me poussent vers la bataille de Paris, — où tant de travailleurs meurent pourtant encore tandis que je vous écris! Travailler maintenant, jamais, jamais; je suis en grève.

Maintenant, je m'encrapule le plus possible. Pourquoi? Je veux être poète, et je travaille à me rendre *voyant* : vous ne comprendrez pas du tout, et je ne saurais presque vous expliquer. Il s'agit d'arriver à l'inconnu par le dérèglement de *tous les sens*. Les souffrances sont énormes, mais il faut être fort, être né poète, et je me suis reconnu poète. Ce n'est pas du tout ma faute. C'est faux de dire : Je pense. On devrait dire : On me pense. Pardon du jeu de mots.

JE est un autre. Tant pis pour le bois qui se trouve violon, et nargue aux inconscients, qui ergotent sur ce qu'ils ignorent tout à fait!

Vous n'êtes pas *enseignant* pour moi. Je vous donne ceci : est-ce de la satire, comme vous diriez? Est-ce de la poésie? C'est de la fantaisie, toujours. — Mais, je vous en supplie, ne soulignez ni du crayon, ni trop de la pensée :

LE CŒUR SUPPLICIÉ

Mon triste cœur bave à la poupe,
.. ..

Ça ne veut pas rien dire.
RÉPONDEZ-MOI : chez M. Deverrière, pour A. R.
Bonjour de cœur.

ARTH. RIMBAUD.

A PAUL DEMENY

Rue Jean de Bologne
Douai.

Charleville, 15 mai 1871.

J'ai résolu de vous donner une heure de littérature nouvelle. Je commence de suite par un psaume d'actualité :

CHANT DE GUERRE PARISIEN

Le printemps est évident car
.. ..

— Voici de la prose sur l'avenir de la poésie : —
Toute poésie antique aboutit à la poésie grecque, Vie harmonieuse. — De la Grèce au mouvement romantique, — moyen-âge — il y a des lettrés, des versificateurs. D'Ennius à Theroldus, de Theroldus à Casimir Delavigne, tout est prose rimée, un jeu, avachissement et gloire d'innombrables générations idiotes : Racine est le pur, le fort, le grand. — On eût soufflé sur ses rimes, brouillé ses hémistiches, que le Divin Sot serait aujourd'hui aussi ignoré que le premier venu auteur d'*Origines*. — Après Racine, le jeu moisit. Il a duré deux mille ans!

Ni plaisanterie, ni paradoxe. La raison m'inspire plus de certitudes sur le sujet que n'aurait jamais eu de colères un Jeune-France. Du reste, libre aux *nouveaux* d'exécrer les ancêtres : on est chez soi et l'on a le temps.

On n'a jamais bien jugé le romantisme. Qui l'aurait jugé? Les Critiques!! Les Romantiques? qui prouvent si bien que la chanson est si peu souvent l'œuvre, c'est-à-dire la pensée chantée *et comprise* du chanteur.

Car JE est un autre. Si le cuivre s'éveille clairon, il n'y a rien de sa faute. Cela m'est évident : j'assiste à l'éclosion de ma pensée : je la regarde je l'écoute : je lance un coup d'archet : la symphonie fait son remuement dans les profondeurs, ou vient d'un bond sur la scène.

Si les vieux imbéciles n'avaient pas trouvé du Moi que

219

la signification fausse, nous n'aurions pas à balayer ces millions de squelettes qui, depuis un temps infini, ont accumulé les produits de leur intelligence borgnesse, en s'en clamant les auteurs!

En Grèce, ai-je dit, vers et lyres *rhythment l'Action.* Après, musique et rimes sont jeux, délassements. L'étude de ce passé charme les curieux : plusieurs s'éjouissent à renouveler ces antiquités : — c'est pour eux. L'intelligence universelle a toujours jeté ses idées naturellement; les hommes ramassaient une partie de ces fruits du cerveau : on agissait par, on en écrivait des livres : telle allait la marche, l'homme ne se travaillant pas, n'étant pas encore éveillé, ou pas encore dans la plénitude du grand songe. Des fonctionnaires, des écrivains : auteur, créateur, poète, cet homme n'a jamais existé!

La première étude de l'homme qui veut être poète est sa propre connaissance, entière; il cherche son âme, il l'inspecte, il la tente, l'apprend. Dès qu'il la sait, il doit la cultiver; cela semble simple : en tout cerveau s'accomplit un développement naturel; tant d'*égoïstes* se proclament auteurs; il en est bien d'autres qui s'attribuent leur progrès intellectuel! — Mais il s'agit de faire l'âme monstrueuse : à l'instar des comprachicos, quoi! Imaginez un homme s'implantant et se cultivant des verrues sur le visage.

Je dis qu'il faut être *voyant,* se faire *voyant.*

Le Poète se fait *voyant* par un long, immense et raisonné *dérèglement* de *tous les sens.* Toutes les formes d'amour, de souffrance, de folie; il cherche lui-même, il épuise en lui tous les poisons, pour n'en garder que les quintessences. Ineffable torture où il a besoin de toute la foi, de toute la force surhumaine, où il devient entre tous le grand malade, le grand criminel, le grand maudit, — et le suprême Savant! — Car il arrive à l'*inconnu!* Puisqu'il a cultivé son âme, déjà riche, plus qu'aucun! Il arrive à l'inconnu, et quand, affolé, il finirait par perdre l'intelligence de ses visions, il les a vues! Qu'il crève dans son bondissement par les choses inouïes et innommables : viendront d'autres horribles travailleurs; ils commenceront par les horizons où l'autre s'est affaissé!

— La suite à six minutes —

Ici j'intercale un second psaume, *hors du texte :* veuillez
tendre une oreille complaisante, — et tout le monde sera
charmé. — J'ai l'archet en main, je commence :

MES PETITES AMOUREUSES

Un hydrolat lacrymal lave
.. ..

Voilà. Et remarquez bien que, si je ne craignais de
vous faire débourser plus de 60 c. de port, — moi pauvre
effaré qui, depuis sept mois, n'ai pas tenu un seul rond
de bronze! — je vous livrerais encore mes *Amants de
Paris,* cent hexamètres, Monsieur, et ma *Mort de Paris,*
deux cents hexamètres!

— Je reprends :

Donc le poète est vraiment voleur de feu.

Il est chargé de l'humanité, des *animaux* même; il devra
faire sentir, palper, écouter ses inventions; si ce qu'il
rapporte de *là-bas* a forme, il donne forme; si c'est informe, il donne de l'informe. Trouver une langue; —
Du reste toute parole étant idée, le temps d'un langage
universel viendra! Il faut être académicien, — plus mort
qu'un fossile, — pour parfaire un dictionnaire, de quelque
langue que ce soit. Des faibles se mettraient à *penser*
sur la première lettre de l'alphabet, qui pourraient vite
ruer dans la folie!

Cette langue sera de l'âme pour l'âme, résumant tout,
parfums, sons, couleurs, de la pensée accrochant la pensée
et tirant. Le poète définirait la quantité d'inconnu s'éveil-
lant en son temps dans l'âme universelle : il donnerait
plus — que la formule de sa pensée, que la notation de
sa marche au Progrès! Enormité devenant norme, absorbée
par tous, il serait vraiment *un multiplicateur de progrès!*

Cet avenir sera matérialiste, vous le voyez; — Toujours
pleins du *Nombre* et de l'*Harmonie,* ces poèmes seront
faits pour rester. — Au fond, ce serait encore un peu la
Poésie grecque.

L'art éternel aurait ses fonctions, comme les poètes sont
citoyens. La poésie ne rhythmera plus l'action; elle sera
en avant.

Ces poètes seront! Quand sera brisé l'infini servage de

la femme, quand elle vivra pour elle et par elle, l'homme, — jusqu'ici abominable, — lui ayant donné son renvoi, elle sera poète, elle aussi! La femme trouvera de l'inconnu! Ses mondes d'idées différeront-ils des nôtres? — Elle trouvera des choses étranges, insondables, repoussantes, délicieuses; nous les prendrons, nous les comprendrons.

En attendant, demandons aux *poètes* du *nouveau,* — idées et formes. Tous les habiles croiraient bientôt avoir satisfait à cette demande. — Ce n'est pas cela!

Les premiers romantiques ont été *voyants* sans trop bien s'en rendre compte : la culture de leurs âmes s'est commencée aux accidents : locomotives abandonnées, mais brûlantes, que prennent quelque temps les rails. — Lamartine est quelquefois voyant, mais étranglé par la forme vieille. — Hugo, *trop cabochard,* a bien du *vu* dans les derniers volumes : *Les Misérables* sont un vrai poème. J'ai *Les Châtiments* sous main; *Stella* donne à peu près la mesure de la *vue* de Hugo. Trop de Belmontet et de Lamennais, de Jéhovahs et de colonnes, vieilles énormités crevées.

Musset est quatorze fois exécrable pour nous, générations douloureuses et prises de visions, — que sa paresse d'ange a insultées! O! les contes et les proverbes fadasses! ô les *Nuits!* ô *Rolla,* ô *Namouna,* ô *la Coupe!* Tout est français, c'est-à-dire haïssable au suprême degré; français, pas parisien! Encore une œuvre de cet odieux génie qui a inspiré Rabelais, Voltaire, Jean La Fontaine, commenté par M. Taine! Printanier, l'esprit de Musset! Charmant, son amour! En voilà, de la peinture à l'émail, de la poésie solide! On savourera longtemps la poésie *française,* mais en France. Tout garçon épicier est en mesure de débobiner une apostrophe Rollaque, tout séminariste en porte les cinq cents rimes dans le secret d'un carnet. A quinze ans, ces élans de passion mettent les jeunes en rut; à seize ans, ils se contentent déjà de les réciter avec *cœur;* à dix-huit ans, à dix-sept même, tout collégien qui a le moyen, fait le Rolla, écrit un Rolla! Quelques-uns en meurent peut-être encore. Musset n'a rien su faire; il y avait des visions derrière la gaze des rideaux : il a fermé les yeux. Français, panadis, traîné de l'estaminet au pupitre de collège, le beau mort est mort, et, désormais, ne nous donnons même plus la peine de le réveiller par nos abominations!

Les seconds romantiques sont très *voyants :* Th. Gautier, Lec. de Lisle, Th. de Banville. Mais inspecter l'invisible et entendre l'inouï étant autre chose que reprendre l'esprit des choses mortes, Baudelaire est le premier voyant, roi des poètes, *un vrai Dieu.* Encore a-t-il vécu dans un milieu trop artiste; et la forme si vantée en lui est mesquine : les inventions d'inconnu réclament des formes nouvelles.

Rompue aux formes vieilles, — parmi les innocents, A. Renaud, — a fait son Rolla; — L. Grandet, — a fait son Rolla; — les gaulois et les Musset, G. Lafenestre, Coran, Cl. Popelin, Soulary, L. Salles; les écoliers, Marc, Aicard, Theuriet; es corts et les imbéciles, Autran, Barbier, L. Pichat, Lemoyne, les Deschamps, les Desessarts; les journalistes, L. Cladel, Robert Luzarches, X. de Ricard; les fantaisistes. C. Mendès; les bohèmes; les femmes; les talents, Léon Dierx, Sully-Prudhomme, Coppée, — la nouvelle école, dite parnassienne, a deux voyants, Albert Mérat et Paul Verlaine, un vrai poète. — Voilà. — Ainsi je travaille à me rendre *voyant.* — Et finissons par un chant pieux.

ACCROUPISSEMENTS

Bien tard, quand il se sent l'estomac écœuré,
. . . .

Vous seriez exécrable de ne pas répondre : vite, car dans huit jours je serai à Paris, peut-être.
Au revoir.

A. RIMBAUD.

AU MÊME

Charleville, 10 juin 1871.

LES POÈTES DE SEPT ANS

Et la Mère, fermant le livre du devoir,
. . . .

LES PAUVRES A L'EGLISE

Parqués entre des bancs de chêne, aux coins d'église
. . ..

Voici, — ne vous fâchez pas, — un motif à dessins
drôles : c'est une antithèse aux douces vignettes péren-
nelles où batifolent les cupidons, où s'essorent les cœurs
panachés de flammes, fleurs vertes, oiseaux mouillés, pro-
montoires de Leucade, etc... — Ces triolets, eux aussi, au
reste, iront

> *Où les vignettes pérennelles,*
> *Où les doux vers.*

Voici : — ne vous fâchez pas —

LE CŒUR DU PITRE

Mon triste cœur bave à la poupe,
.. ..

Voilà ce que je fais.

J'ai trois prières à vous adresser :

brûlez, *je le veux*, et je crois que vous respecterez ma
volonté comme celle d'un mort, brûlez *tous les vers que je
fus assez sot* pour vous donner lors de mon séjour à
Douai : ayez la bonté de m'envoyer, s'il vous est possible
et s'il vous plaît, un exemplaire de vos *Glaneuses*, que je
voudrais relire et qu'il m'est impossible d'acheter, ma
mère ne m'ayant gratifié d'aucun rond de bronze depuis
six mois, — pitié! — : enfin, veuillez bien me répondre,
quoi que ce soit, pour cet envoi et pour le précédent.

Je vous souhaite un bon jour, ce qui est bien bon.

Ecrivez à : M. Deverrière, 95, sous les Allées, pour

A. RIMBAUD.

A GEORGES IZAMBARD

Professeur de rhétorique
Collège de Cherbourg.

Charleville, 12 juillet 1871.

Cher Monsieur,

Vous prenez des bains de mer, vous avez été en bateau...
Les boyards, c'est loin, vous n'en voulez plus, je vous
jalouse, moi qui étouffe ici.

Puis, je m'embête ineffablement et je ne puis vraiment
rien porter sur le papier.

Je veux pourtant vous demander quelque chose : une
dette énorme, — chez un libraire, — est venue fondre sur
moi, qui n'ai pas le moindre rond de colonne en poche. Il
faut revendre des livres. Or vous devez vous rappeler
qu'en septembre, étant venu, — pour moi, — tenter d'ava-
chir un cœur de mère endurci, vous emportâtes, sur mon
conseil, plusieurs volumes, cinq ou six, qu'en août, à votre
intention, j'avais apportés chez vous.

Eh bien! tenez-vous à *Florise*, de Banville, aux *Exilés*,
du même? Moi qui ai besoin de rétrocéder des bouquins
à mon libraire, je serais bien content de ravoir ces deux
volumes : j'ai d'autres Banville chez moi; joints aux
vôtres, ils composeraient une collection, et les collections
s'acceptent bien mieux que des volumes isolés.

N'avez-vous pas *Les Couleuvres?* Je placerais cela comme
du neuf! — Tenez-vous aux *Nuits persanes?* un titre qui
peut affrioler, même parmi des bouquins d'occasion. Tenez-vous à ce volume de Pontmartin? Il existe des littéra-
teurs par ici qui rachèteraient cette prose. — Tenez-vous
aux *Glaneuses?* Les collégiens d'Ardennes pourraient débourser trois francs pour bricoler dans ces azurs-là. Je saurais démontrer à mon crocodile que l'achat d'une telle
collection donnerait de portenteux bénéfices. Je ferais
rutiler les titres inaperçus. Je réponds de me découvrir
une audace avachissante dans ce brocantage.

Si vous saviez quelle position ma mère peut et veut me
faire avec ma dette de 35 fr. 25 c., vous n'hésiteriez pas à

m'abandonner ces bouquins! Vous m'enverriez ce ballot
chez M. Deverrière, 95, sous les Allées, lequel est prévenu
de la chose et l'attend! Je vous rembourserais le prix du
transport, et je vous serais superbondé de gratitude!

Si vous avez des imprimés inconvenants dans une bibliothèque de professeur et que vous vous en aperceviez, ne
vous gênez pas. Mais vite, je vous en prie, on me presse!

Cordialement et bien merci d'avance.

P. S. — J'ai vu, en une lettre de vous à M. Deverrière,
que vous étiez inquiet au sujet de vos caisses de livres. Il
vous les fera parvenir dès qu'il aura reçu vos instructions.

Je vous serre la main.

A THÉODORE DE BANVILLE

Charleville, Ardennes, 15 août 1871.

CE QU'ON DIT AU POÈTE A PROPOS DE FLEURS

Ainsi, toujours, vers l'azur noir

. . . .

Monsieur et cher Maître,

Vous rappelez-vous avoir reçu de province, en juin 1870,
cent ou cent cinquante hexamètres mythologiques intitulés
Credo in unam? Vous fûtes assez bon pour répondre!

C'est le même imbécile qui vous envoie les vers ci-
dessus, signés Alcide Bava. — Pardon.

J'ai dix-huit ans. — J'aimerai toujours les vers de
Banville.

L'an passé je n'avais que dix-sept ans!

Ai-je progressé?

Mon adresse :

M. Charles Bretagne,
Avenue de Mézières, à Charleville,
pour
A. RIMBAUD.

A PAUL DEMENY

15, place Saint-Jacques,
à Douai (Nord).

Charleville, [28] août 1871.

Monsieur,

Vous me faites recommencer ma prière : soit. Voici la
complainte complète. Je cherche des paroles calmes : mais
ma science de l'art n'est pas bien profonde. Enfin, voici.

Situation du prévenu : J'ai quitté depuis plus d'un an
la vie ordinaire pour ce que vous savez. Enfermé sans cesse
dans cette inqualifiable contrée ardennaise, ne fréquentant
pas un homme, recueilli dans un travail infâme, inepte,
obstiné, mystérieux, ne répondant que par le silence aux
questions, aux apostrophes grossières et méchantes, me
montrant digne dans ma position extra-légale, j'ai fini
par provoquer d'atroces résolutions d'une mère aussi
inflexible que soixante-treize administrations à casquettes
de plomb.

Elle a voulu m'imposer le travail, — perpétuel, à Charleville (Ardennes)! Une place pour tel jour, disait-elle, ou
la porte. — Je refusai cette vie; sans donner mes raisons :
c'eût été pitoyable. Jusqu'aujourd'hui, j'ai pu tourner ces
échéances. Elle, en est venue à ceci : souhaiter sans cesse
mon départ inconsidéré, ma fuite! Indigent, inexpéri-
menté, je finirais par entrer aux établissements de correc-
tion. Et, dès ce moment, silence sur moi!

Voilà le mouchoir de dégoût qu'on m'a enfoncé dans la
bouche. C'est bien simple.

Je ne demande rien, je demande un renseignement. Je
veux travailler libre : mais à Paris que j'aime. Tenez : je
suis un piéton, rien de plus; j'arrive dans la ville immense
sans aucune ressource matérielle : mais vous m'avez dit :
Celui qui désire être ouvrier à quinze sous par jour
s'adresse là, fait cela, vit comme cela. Je m'adresse là, je
fais cela, je vis comme cela. Je vous ai prié de m'indiquer
des occupations peu absorbantes, parce que la pensée
réclame de larges tranches de temps. Absolvant le poète,

227

ces balançoires matérielles se font aimer. Je suis à Paris :
il me faut une *économie* positive! Vous ne trouvez pas cela
sincère? Moi, ça me semble si étrange, qu'il me faille vous
protester de mon sérieux!

J'avais eu l'idée ci-dessus : la seule qui me parût raisonnable : je vous la rends sous d'autres termes. J'ai bonne
volonté, je fais ce que je puis, je parle aussi compréhen-
siblement qu'un malheureux! Pourquoi tancer l'enfant
qui, non doué de principes zoologiques, désirerait un
oiseau à cinq ailes? On le ferait croire aux oiseaux à six
queues, ou à trois becs! On lui prêterait un Buffon des
familles : ça le déleurrerait.

Donc, ignorant de quoi vous pourriez m'écrire, je
coupe les explications et continue à me fier à vos expériences, à votre obligeance que j'ai bien bénie, en recevant
votre lettre, et je vous engage un peu à partir de mes
idées, — s'il vous plaît...

Recevriez-vous sans trop d'ennui des échantillons de
mon travail?

A ERNEST DELAHAYE
à Charleville.

Parmerde, Jumphe 72.

Mon ami,

Oui, surprenante est l'existence dans le cosmorama
Arduan. La province, où on se nourrit de farineux et de
boue, où l'on boit du vin du cru et de la bière du pays,
ce n'est pas ce que je regrette. Aussi tu as raison de la
dénoncer sans cesse. Mais ce lieu-ci : distillation, composition, tout étroitesses; et l'été accablant : la chaleur n'est
pas très constante, mais de voir que le beau temps est dans
les intérêts de chacun, et que chacun est un porc, je hais
l'été, qui me tue quand il se manifeste un peu. J'ai une
soif à craindre la gangrène : les rivières ardennaises et
belges, les cavernes, voilà ce que je regrette.

Il y a bien ici un lieu de boisson que je préfère. Vive
l'académie d'Absomphe, malgré la mauvaise volonté des
garçons! C'est le plus délicat et le plus tremblant des

habits, que l'ivresse par la vertu de cette sauge des glaciers, l'absomphe! Mais pour, après, se coucher dans la
merde!

Toujours même geinte, quoi! Ce qu'il y a de certain,
c'est : merde à Perrin. Et au comptoir de l'Univers,
qu'il soit en face du square ou non. Je ne maudis pas
l'Univers, pourtant. — Je souhaite très fort que l'Ardenne
soit occupée et pressurée de plus en plus immodérément.
Mais tout cela est encore ordinaire.

Le sérieux, c'est qu'il faut que tu te tourmentes beaucoup. Peut-être que tu aurais raison de beaucoup marcher
et lire. Raison en tout cas de ne pas te confiner dans les
bureaux et maisons de famille. Les abrutissements doivent
s'exécuter loin de ces lieux-là. Je suis loin de vendre du
baume, mais je crois que les habitudes n'offrent pas de
consolations, aux pitoyables jours.

Maintenant, c'est la nuit que je travaince. De minuit
à cinq heures du matin. Le mois passé, ma chambre, rue
Monsieur-le-Prince, donnait sur un jardin du lycée Saint-
Louis. Il y avait des arbres énormes sous ma fenêtre
étroite. A trois heures du matin, la bougie pâlit : tous
les oiseaux crient à la fois dans les arbres : c'est fini. Plus
de travail. Il me fallait regarder les arbres, le ciel, saisis
par cette heure indicible, première du matin. Je voyais les
dortoirs du lycée, absolument sourds. Et déjà le bruit
saccadé, sonore, délicieux des tombereaux sur les boulevards. — Je fumais ma pipe-marteau, en crachant sur les
tuiles, car c'était une mansarde, ma chambre. A cinq
heures, je descendais à l'achat de quelque pain; c'est
l'heure. Les ouvriers sont en marche partout. C'est l'heure
de se soûler chez les marchands de vin, pour moi. Je ren-
trais manger, et me couchais à sept heures du matin,
quand le soleil faisait sortir les cloportes de dessous les
tuiles. Le premier matin en été, et les soirs de décembre,
voilà ce qui m'a ravi toujours ici.

Mais, en ce moment, j'ai une chambre jolie, sur une
cour sans fond, mais de trois mètres carrés. — La rue Victor-Cousin fait coin sur la place de la Sorbonne par le
café du Bas-Rhin et donne sur la rue Soufflot, à l'autre
extrémité. — Là, je bois de l'eau toute la nuit, je ne
vois pas le matin, je ne dors pas, j'étouffe. Et voilà.

Il sera certes fait droit à ta réclamation! N'oublie pas

de chier sur *La Renaissance*, journal littéraire et artistique, si tu le rencontres. J'ai évité jusqu'ici les pestes d'émigrés caropolmerdis. Et merde aux saisons et colrage.
Courage.

A. R.
Rue Victor-Cousin, Hôtel de Cluny.

AU MÊME

Laïtou (Roche) (canton d'Attigny).
Mai 73.

Cher ami, tu vois mon existence actuelle dans l'aquarelle ci-dessous.
O Nature! ô ma mère!
[Ici, un croquis.]
Quelle chierie! et quels monstres d'innocince, ces paysans. Il faut, le soir, faire deux lieux *[sic]*, et plus, pour boire un peu. La *mother* m'a mis dans un triste trou.
[Autre croquis.]
Je ne sais comment en sortir : j'en sortirai pourtant. Je regrette cet atroce Charlestown, l'Univers, la Bibliothè., etc... Je travaille pourtant assez régulièrement; je fais de petites histoires en prose, titre général : Livre païen, ou Livre nègre. C'est bête et innocent. O innocence! innocence; innocence, innoc... fléau!
Verlaine doit t'avoir donné la malheureuse commission de parlementer avec le sieur Devin, imprimeur du *Nôress*. Je crois que ce Devin pourrait faire le livre de Verlaine à assez bon compte et presque proprement. (S'il n'emploie pas les caractères emmerdés du *Nôress*. Il serait capable d'en coller un cliché, une annonce!)
Je n'ai rien de plus à te dire, la contemplostate de la Nature m'absorculant tout entier. Je suis à toi, ô Nature, ô ma mère!
Je te serre les mains, dans l'espoir d'un revoir que j'active autant que je puis.

R.

Je rouvre ma lettre. Verlaine doit t'avoir proposé un rendez-vol au dimanche 18, à Boulion. Moi je ne puis y aller. Si tu y vas, il te chargera probablement de quelques fraguemants en prose de moi ou de lui, à me retourner.

La mère Rimb. retournera à Charlestown dans le courant de juin. C'est sûr, et je tâcherai de rester dans cette jolie ville quelque temps.

Le soleil est accablant et il gèle le matin. J'ai été avant-hier voir les Prussmars à Vouziers, une sous-préfecture de 10.000 âmes, à sept kilom. d'ici. Ça m'a ragaillardi.

Je suis abominablement gêné. Pas un livre, pas un cabaret à portée de moi, pas un incident dans la rue. Quelle horreur que cette campagne française. Mon sort dépend de ce livre pour lequel une demi-douzaine d'histoires atroces sont encore à inventer. Comment inventer des atrocités ici? Je ne t'envoie pas d'histoires, quoique j'en aie déjà trois, *ça coûte tant!* Enfin voilà!

Bon revoir, tu verras ça.

RIMB.

Prochainement je t'enverrai des timbres pour m'acheter et m'envoyer le *Faust* de *Goethe*, Biblioth. populaire. Ça doit coûter un sou de transport.

Dis-moi s'il n'y a pas des traduct. de Shakespeare dans les nouveaux livres de cette biblioth.

Si même tu peux m'en envoyer le catalogue le plus nouveau, envoie.

R.

A PAUL VERLAINE.

Londres, vendredi après-midi.
[4 juillet 1873].

Reviens, reviens, cher ami, seul ami, reviens. Je te jure que je serai bon. Si j'étais maussade avec toi, c'est une plaisanterie où je me suis entêté; je m'en repens plus qu'on ne peut dire. Reviens, ce sera bien oublié. Quel malheur que tu aies cru à cette plaisanterie. Voilà deux jours que je ne cesse de pleurer. Reviens. Sois courageux, cher ami. Rien n'est perdu. Tu n'as qu'à refaire le voyage. Nous revivrons ici bien courageusement, patiemment. Ah! je t'en supplie. C'est ton bien d'ailleurs. Reviens, tu retrouveras toutes tes affaires. J'espère que tu sais bien à présent qu'il n'y avait rien de vrai dans notre discussion L'affreux moment! Mais toi, quand je te faisais signe de quitter le bateau, pourquoi ne venais-tu pas? Nous avons vécu deux ans ensemble pour arriver à cette heure-là! Que vas-tu faire? Si tu ne veux pas revenir ici, veux-tu que j'aille te trouver où tu es?

Oui, c'est moi qui ai eu tort.

Oh! tu ne m'oublieras pas, dis?

Non, tu ne peux pas m'oublier.

Moi, je t'ai toujours là.

Dis, réponds à ton ami, est-ce que nous ne devons plus vivre ensemble?

Sois courageux. Réponds-moi vite.

Je ne puis rester ici plus longtemps.

N'écoute que ton bon cœur.

Vite, dis si je dois te rejoindre.

A toi toute la vie.

RIMBAUD.

Vite, réponds : je ne puis rester ici plus tard que lundi soir. Je n'ai pas encore un penny; je ne puis mettre ça à la poste. J'ai confié à Vermersch tes livres et tes manuscrits.

Si je ne dois plus te revoir, je m'engagerai dans la marine ou l'armée.

O reviens, à toutes les heures je repleure. Dis-moi de te retrouver, j'irai. Dis-le-moi, télégraphie-moi. — Il faut que je parte lundi soir. Où vas-tu? Que veux-tu faire?

AU MÊME

[Londres, 5 juillet 1873.]

Cher ami,

J'ai ta lettre datée « *En mer* ». Tu as tort, cette fois, et très tort. D'abord, rien de positif dans ta lettre. Ta femme ne viendra pas, ou viendra dans trois mois, trois ans, que sais-je? Quant à claquer, je te connais! Tu vas donc, en attendant ta femme et ta mort, te démener, errer, ennuyer des gens. Quoi? toi, tu n'as pas encore reconnu que les colères étaient aussi fausses d'un côté que de l'autre! Mais c'est toi qui aurais les derniers torts, puisque, même après que je t'ai rappelé, tu as persisté dans tes faux sentiments. Crois-tu que ta vie sera plus agréable avec d'autres que moi? *Réfléchis-y!* — Ah! certes non!

Avec moi seul tu peux être libre, et, puisque je te jure d'être très gentil à l'avenir, que je déplore toute ma part de torts, que j'ai enfin l'esprit net, que je t'aime bien, si tu ne veux pas revenir, ou que je te rejoigne, tu fais un crime, et *tu t'en repentiras de* LONGUES ANNEES *par la perte de toute liberté, et des ennuis plus atroces* peut-être que tous ceux que tu as éprouvés. Après ça, resonge à ce que tu étais avant de me connaître!

Quant à moi, je ne rentre pas chez ma mère. Je vais à Paris. Je tâcherai d'être parti lundi soir. Tu m'auras forcé à vendre tous tes habits, je ne puis faire autrement. Ils ne sont pas encore vendus; ce n'est que lundi matin qu'on me les emporterait. Si tu veux m'adresser des lettres à Paris, envoie à L. Forain, 289, rue Saint-Jacques (pour A. Rimbaud). Il saura mon adresse.

Certes, si ta femme revient, je ne te compromettrai pas en t'écrivant, — je n'écrirai jamais.

Le seul vrai mot, c'est : reviens. Je veux être avec toi, je t'aime. Si tu écoutes cela, tu montreras du courage et un esprit sincère.

Autrement, je te plains.

Mais je t'aime, je t'embrasse et nous nous reverrons.

8 Great Colle, *etc...* jusqu'à lundi soir, — ou mardi à midi, si tu m'appelles.

AU MÊME

Lundi midi. [Londres, 7 juillet 1873.]

Mon cher ami,

J'ai vu la lettre que tu as envoyée à Mme Smith.

Tu veux revenir à Londres! Tu ne sais pas comme tout le monde t'y recevrait! Et la mine que me feraient Andrieu et autres, s'ils me revoyaient avec toi! Néanmoins, je serai très courageux. Dis-moi ton idée bien sincère.

Veux-tu retourner à Londres pour moi? Et quel jour? Est-ce ma lettre qui te conseille? Mais il n'y a plus rien dans ta chambre. Tout est vendu, sauf un paletot. J'ai eu deux livres dix. Mais le linge est encore chez la blanchisseuse, et j'ai conservé un tas de choses pour moi : cinq gilets, toutes les chemises, des caleçons, cols, gants, et toutes les chaussures. Tous tes livres et manuss sont en sûreté. En somme, il n'y a de vendu que tes pantalons, noir et gris, un paletot et un gilet, le sac et la boîte à chapeau.

Mais pourquoi ne m'écris-tu pas, à moi?

Oui, cher petit, je vais rester une semaine encore. Et tu viendras, n'est-ce pas? dis-moi la vérité. Tu aurais donné une marque de courage. J'espère que c'est vrai. Sois sûr de moi, j'aurais très bon caractère.

A toi. Je t'attends.

A ERNEST DELAHAYE
à Charleville.

Stuttgart, 5 mars 75.

Verlaine est arrivé ici l'autre jour, un chapelet aux pinces... Trois heures après on avait renié son dieu et fait saigner les 98 plaies de N.S. Il est resté deux jours et demi, fort raisonnable et sur ma remonstration s'en est retourné à Paris, pour, de suite, aller finir d'étudier *là-bas dans l'île.*

Je n'ai plus qu'une semaine de Wagner et je regrette cette argent payant de la haine, tout ce temps foutu à rien. Le 15 j'aurai ein freundliches Zimmer n'importe où, et je fouaille la langue avec frénésie, tant et tant que j'aurai fini dans deux mois au plus.

Tout est assez inférieur ici — j'excèpe un : Riessling, dont j'en vite un ferre en vâce des gôdeaux gui l'onh fu naître à ta santé imperbédueuse. Il soleille et gèle, c'est tannant.

(Après le 15, Poste restante Stuttgart.)

A toi.

RIMB.

AU MÊME
à Rethel.

Reçu le Postcard et la lettre de V. il y a huit jours. Pour tout simplifier, j'ai dit à la Poste d'envoyer ses restantes chez moi, de sorte que tu peux écrire ici, si encore rien aux restantes. Je ne commente pas les dernières grossièretés du Loyola, et je n'ai plus d'activité à me donner de ce côté-là à présent, comme il paraît que la 2e « portion » du « contingent » de la « classe 74 » va-t-être appelée le trois novembre suivant ou prochain : la chambrée de nuit :

« RÊVE »

On a faim dans la chambrée —
       C'est vrai...
    Emanations, explosions,
Un génie : Je suis le gruère!
Lefèbvre : Keller!
Le génie : Je suis le Brie!
Les soldats coupent sur leur pain :
    C'est la vie!
Le génie — Je suis le Roquefort!
    — Ça s'ra not' mort!...
    — Je suis le gruère
       Et le Brie... etc.

VALSE

On nous a joints, Lefebvre et moi, etc.

De telles préoccupations ne permettent que de s'y absorbère. Cependant renvoyer obligeamment, selon les occases, les « Loyolas » qui rappliqueraient.

Un petit service : veux-tu me dire précisément et **concis** — en quoi consiste le « bachot » ès sciences actuel, partie classique, et mathém., etc. — Tu me dirais le point de chaque partie que l'on doit atteindre : mathém., phys., chim., etc., et alors des titres, immédiat, (et le moyen de se procurer) des livres employés dans ton collège; par ex. pour ce « Bachot », à moins que ça ne change aux diverses universités : en tous cas, de professeurs ou d'élèves compétents, t'informer à ce point de vue que je te donne. Je tiens surtout à des choses précises, comme il s'agirait de l'achat de ces livres prochainement. Instruct. militaire et « Bachot », tu vois, me feraient deux ou trois agréables saisons! Au diable d'ailleurs ce « gentil labeur ». Seulement sois assez bon pour m'indiquer le plus mieux possible la façon comment on s'y met .

Ici rien de rien.

— J'aime à penser que le petdeloup et les gluants pleins d'haricots patriotiques ou non ne te donnent pas plus de distraction qu'il ne t'en faut. Au moins ça ne chlingue pas dans la neige, comme ici.

A toi « dans la mesure de mes faibles forces. »

Tu écris :

A. RIMBAUD,
31, rue Saint-Barthélemy
Charleville (Ardennes). va sans dire.

P. S. — La corresp. « en passepoil » arrive à ceci que le « Némery » avait confié les journaux du Loyola à un *agent de police* pour me les porter!

1854. — Naissance de Jean Nicolas Arthur Rimbaud, le 20 octobre 1854, à Charleville, chez son grand-père, maternel. Son père, Frédéric Rimbaud, capitaine d'infanterie, est alors en garnison à Lyon. Sa mère, Vitalie Cuif, appartient à une famille de petits propriétaires ardennais.

1862. — Entre, comme externe, à l'institution Rossat, à Charleville.

1865. — Elève de 5e au collège de Charleville. Passe en 6e à la rentrée d'octobre.

1866. — Sa précocité permet de lui faire sauter une classe : il passe de 6e en 4e au mois d'octobre.

1868. — Au mois de mai, à l'occasion de la première communion du prince impérial, il adresse à celui-ci une lettre en vers latins. Auguste Filon, précepteur du prince, lui transmet les remerciements de son élève par l'intermédiaire du principal du collège de Charleville.

1869. — *Le Moniteur de l'Enseignement secondaire* publie trois compositions de Rimbaud en vers latins. L'un de ces devoirs vaut au collégien un premier prix dans un concours organisé par l'Académie de Douai dont relève le collège de Charleville. C'est en 1869 également que Rimbaud écrit les premiers poèmes que nous ayons de lui.

1870. — Dans son numéro du 2 janvier, *la Revue pour tous* publie un de ses poèmes : *Les Etrennes des Orphelins.* Entré en rhétorique, il suscite l'intérêt d'un de ses professeurs, Georges Izambard, qui l'encourage à écrire et lui prête des livres. Comme Izambard, il devient républicain et anticlérical. Il compose quantité de vers, et en adresse à Théodore de Banville, ainsi qu'à un journal satirique *La Charge*, qui insère un de ses poèmes dans son numéro du 13 août. — Le 29 août, alors que la France en guerre depuis quelques semaines subit de graves défaites, il quitte la maison maternelle sans autorisation et part pour Paris, via Charleroi. Voyageant sans billet, il est arrêté dès son arrivée et incarcéré à la prison de Mazas, le 31 août. Il écrit aussitôt à Izambard, qui s'empresse de venir le délivrer, l'emmène à Douai et intervient auprès de Mme Rimbaud pour qu'elle ne tienne pas rigueur à son fils de l'escapade qu'il s'est permise. Rentré à Charleville, il s'enfuit de nouveau quelques jours plus tard, à pied cette fois, en direction de la Belgique. A Bruxelles, il va voir un ami d'Izambard, qui lui fournit les moyens de retourner à Douai auprès de son professeur. Mme Rimbaud, mise au courant de ces nouvelles aventures, fait rentrer l'adolescent à Charleville, dans l'intention de le mettre en pension, sitôt la paix revenue.

1871. — Troisième fugue, le 25 février. Rimbaud vend sa montre et prend un billet pour Paris, où il vagabonde jusqu'au 10 mars. Son dénuement le contraint à regagner Charleville à pied. Il continue de composer des poèmes, en envoie à Banville et à Paul Demeny, jeune écrivain douaisien que lui a fait connaître Izambard. Il en fait parvenir également à Verlaine par l'intermédiaire d'un nommé Bretagne, fonctionnaire à Charleville, qui a déjà eu l'occasion de rencontrer le poète « saturnien ». Au reçu des vers de Rimbaud, Verlaine invite leur auteur à venir à Paris, où Rimbaud débarque en septembre. C'est alors qu'il fréquente les Zutiques, groupe de poètes et d'artistes, où ses meilleurs amis seront, — avec Verlaine, — Henri Mercier et le musicien Cabaner.

1872. — Beuveries quotidiennes. La présence de Rimbaud provoque des scènes violentes entre Verlaine et sa femme. En mars, Rimbaud repart pour Charleville et compose alors les premiers poèmes qui aient franchement rompu avec la prosodie traditionnelle. Nouveau départ pour Paris en mai. Puis, le 7 juillet, départ pour la Belgique, en compagnie de Verlaine, qui abandonne sa femme et son fils. Le 4 septembre, les deux amis s'embarquent pour l'Angleterre. À Londres, Rimbaud vit aux crochets de Verlaine, que tourmente bientôt le procès engagé à Paris contre lui par l'épouse qu'il a bafouée. Mal à l'aise, Rimbaud, en novembre ou dans la première quinzaine de décembre, retourne à Charleville.

1873. — Nouveau voyage à Londres, où Verlaine feint d'être gravement malade. Mme Verlaine mère, que son fils mène par le bout du nez, a fait tenir à Rimbaud l'argent dont il avait besoin pour venir retrouver son ami. Mais Rimbaud ne s'attarde pas à Londres et va bientôt rejoindre sa famille dans les Ardennes, à Roche, aux environs de Vouziers. Il y reste jusqu'au 24 mai. Ce jour-là, Verlaine qui est venu le relancer et qu'il a accepté de rencontrer à Bouillon, c'est-à-dire à la frontière franco-belge, le convainc de repartir avec lui pour Londres. où, très vite, les deux poètes se querellent. Au début de juillet, Verlaine rompt et se rend en Belgique, laissant Rimbaud à Londres sans ressources. L'intention de Verlaine était de renouer avec sa femme, mais celle-ci n'y ayant pas consenti, il cherche alors à reprendre la vie commune avec Rimbaud et l'attire à Bruxelles. Rimbaud y arrive le 8 juillet au soir. Nouvelles disputes. Le lendemain, Verlaine, éméché, blesse Rimbaud au poignet d'un coup de revolver. Verlaine est arrêté. Quoique Rimbaud ait refusé de porter plainte contre lui, une instruction judiciaire est ouverte. La blessure de Rimbaud est légère. Dès sa sortie de l'hôpital, le 20 juillet, le gouvernement belge l'expulse, les lettres trouvées sur Verlaine et sur lui contredisant les déclarations qu'ils avaient faites touchant la nature de leurs relations. Rimbaud regagne Roche, où il achève *Une Saison en enfer*, qu'il avait commencé d'écrire en avril. Il en confie aussitôt l'impression à un imprimeur bruxellois. La plaquette sort de presse en octobre, mais, à l'exception de quelques exemplaires justificatifs envoyés à l'auteur en même temps que la facture, tout le tirage reste chez l'imprimeur, que Rimbaud ne peut payer.

1874. — Rimbaud repart pour l'Angleterre, où il va vivre en donnant des leçons de français. Auparavant, il s'est arrêté à Paris et y a rencontré Germain Nouveau, qui l'accompagne dans sa nouvelle équipée britannique. Il travaille aux *Illuminations,* dont une partie avait peut-être été écrite en 1872 et 1873. Sa mère et sa sœur Vitalie passent auprès de lui le mois de juillet.

1875. — Revenu à Charleville au début de l'hiver, il part en janvier pour Stuttgart, où il donnera des leçons de français comme il a fait l'année précédente en Angleterre. Verlaine, sorti de la prison de Mons, se rend auprès de lui dans l'espoir de le reconquérir, mais ne réussit qu'à l'irriter et reprend le train après s'être fait corriger par son ancien compagnon. En mai, départ de Rimbaud pour la Suisse et l'Italie. Malade, il s'arrête à Milan. Reprend la route, à pied, au début de l'été, en direction du sud. La misère l'oblige à solliciter son rapatriement au consulat français de Livourne. A Marseille le 15 juin. A Paris, en juillet. Retour à Charleville en octobre. Sa sœur Vitalie meurt le 18 décembre.

1876. — Se rend à Vienne. Expulsé d'Autriche, en avril. Départ pour la Hollande. Le 19 mai, il signe à Harderwijk un engagement de six ans dans l'armée hollandaise d'Indonésie. Il touche pour cela une prime de trois cents florins. Embarqué le 10 juin à destination de Batavia, il arrive là-bas dans la seconde quinzaine de juillet, déserte au bout de trois semaines, et se fait embaucher sur un voilier anglais qui s'achemine vers l'Europe. On le revoit à Charleville à la fin de décembre.

1877. — Se rend à Hambourg, où il trouve un emploi d'interprète dans l'administration du cirque Loisset. Avec le cirque, il parcourt le Danemark et la Scandinavie, puis se fait rapatrier par le consulat français de Stockholm. En septembre, il est débardeur à Marseille. Il veut aller à Aexandrie, mais malade il doit s'arrêter à Civita-Vecchia, et revient passer l'hiver à Charleville.

1878. — A Hambourg, au printemps. Il cherche un moyen de se rendre en Orient. Faute de l'avoir trouvé, il se replie une fois de plus sur Charleville. En octobre, nouveau départ : les Vosges, la Suisse, le Saint-Gothard, en grande partie à pied. Prend à Lugano le train pour Gênes, où le 19 novembre, il s'embarque pour Alexandrie. Ensuite, séjour dans l'île de Chypre, où il se fait chef de chantier.

1879. — Retour en juin dans sa famille à Roche, près de Vouziers.

1880. — Part pour l'Egypte où il ne trouve pas d'emploi. Revient vers la fin d'avril, à Chypre, où il surveille les travaux entrepris pour la construction d'un bâtiment officiel au sommet du mont Troodos, à 2 000 mètres d'altitude. Quitte ce chantier après s'être disputé avec ses employeurs en juin. Erre dans tous les ports de la mer Rouge et, en août, à Aden, se fait embaucher comme commis dans une factorerie s'occupant principalement de peaux et de café. En novembre, ses patrons l'envoient à Harar, où ils établissent une agence. Il y arrive le 13 décembre, « après vingt jours de cheval à travers le désert Somali. »

1881. — A Harar.

1882. — A Aden la plupart du temps, toujours au service de la même entreprise commerciale.

1883. — Repart d'Aden pour Harar vers la fin mars. Parcourt les régions mal connues de l'Ogadine et adresse sur elles un rapport à la Société de Géographie.

1884. — L'entreprise pour laquelle il travaillait cesse son activité. Rimbaud retourne à Aden, où le 23 avril ses employeurs lui délivrent un certificat louant son intelligence, sa probité et son dévouement. L'un de ces patrons monte presque aussitôt une nouvelle affaire dans laquelle Rimbaud est engagé pour six mois à compter du 1er juillet.

1885. — Toujours à Aden. Nouveau contrat d'un an à partir de janvier. Ce contrat est d'un commun accord dénoncé deux mois avant son expiration. Rimbaud entreprend alors de commercer à son compte. Dès le début de décembre, il est à Tadjourah, préparant une caravane qui se rendra dans le Choa.

1886. — Réside tantôt à Tadjourah, tantôt à Aden, s'occupant entre autres choses de ventes de fusils et de cartouches.

1887. — Même activité. Son principal client est Ménélik, maître du Choa et futur Négus. Randonnées à travers l'Abyssinie. Au mois d'août, il est au Caire, amaigri, fatigué et se plaignant de douleurs dans la cuisse et au genou gauches. Il retourne à Aden au début d'octobre et multiplie les démarches pour obtenir le paiement de marchandises et de matériel livrés par lui à Ménélik.

1888. — A Aden au début de l'année. Voyage au Harar en mars. Retour à Aden, puis nouveau et court voyage au Harar à la fin mars. A Aden en avril. A Harar en mai, pour plusieurs mois.

1889. — Toujours à Harar, trafiquant d'armes, de peaux, de café et de musc.

1890. — Même situation.

1891. — Même situation. Se plaint de varices qui le font souffrir beaucoup. En avril, une très forte et très douloureuse enflure du genou droit le fait revenir à Aden. Rapatrié en mai, il est admis dès son arrivée à Marseille, à l'hôpital de la Conception. On l'y ampute de la jambe droite. Il retourne à Roche, auprès des siens, à la fin juillet, mais le mal qui l'affecte poursuit ses ravages. Espérant que le soleil lui fera du bien, il repart pour Marseille à la fin août. accompagné de sa sœur Isabelle. Il lui faut retourner à l'hôpital sitôt arrivé. Il y meurt le 10 novembre, après des semaines d'atroces souffrances.

NOTES.

La présente édition reproduit la préface que Paul Claudel, en 1912, avait donnée aux Œuvres complètes de Rimbaud telles qu'elles se présentaient alors, c'est-à-dire sans de nombreux textes qui n'ont été divulgués ou retrouvés que plus tard.

Se fiant à une tradition inexacte, Claudel considérait *Une Saison en enfer* comme le dernier ouvrage du poète. On sait maintenant que *Les Illuminations,* dans leur ensemble, sont postérieures à *Une Saison en enfer,* et qu'il n'y a par conséquent pas lieu de tenir compte de l'interprétation des écrits de Rimbaud proposée par sa sœur Isabelle et par le mari de celle-ci, Paterne Berrichon, qui s'appuyaient sur une chronologie fausse et peut-être volontairement faussée. Reste que si Rimbaud ne répond pas très bien à la définition qu'en a imaginé Claudel, s'il est difficile de reconnaître en lui un mystique, fût-ce « un mystique à l'état sauvage », les commentaires de son préfacier touchant la vigueur et l'originalité sont d'une telle justesse qu'on ne saurait rien y ajouter, ni en retrancher un seul mot.

POÉSIES

Notre édition s'écarte des éditions précédentes en ce qui concerne l'ordre des textes. Nous n'avons pas cru devoir éparpiller les poésies comme on l'avait fait en général jusqu'à présent. Il n'y a pas eu d'interruption dans la production de Rimbaud poète en vers. Rimbaud a commencé de bonne heure d'écrire ses vers. Il en a composé jusqu'en 1872. Après quoi, c'est en prose que sa poésie s'est exprimée.

Nous avons donc groupé tous ses poèmes, en nous efforçant de les classer selon la date de leur composition. Notre classement n'est cependant qu'approximatif. Rimbaud a daté lui-même certains de ses poèmes, il ne les a pas datés tous. Heureusement, nous avions pour nous guider diverses lettres où il fait état de pièces qu'il envoie à ses correspondants; nous connaissons les manuscrits qu'un de ses amis, Paul Demeny, avait reçus de lui dès le printemps de 1871. Aussi ne croyons-nous pas que l'ordre que nous avons adopté diffère sensiblement de la chronologie réelle des poésies.

Rappelons ici que Rimbaud, de son vivant, n'a fait paraître que trois de ces poésies. Encore n'est-il pas sûr que la dernière, publiée en septembre 1872 dans *la Renaissance littéraire et artistique,* y ait été insérée avec l'accord de l'auteur.

Nous avons intercalé à leur place tous les vers de Rimbaud figurant dans *l'Album Zutique,* dont une édition intégrale a été publiée en 1962 au Cercle du Livre Précieux. Les noms de Dierx, Verlaine, Ratisbonne, de Ricard, ou les initiales qui figurent au bas des pièces zutiques s'expliquent par le fait qu'il s'agit là de pastiches ou de parodies plus ou moins appliqués, plus ou moins réussis, des auteurs que mettent en cause des signatures fantaisistes.

UNE SAISON EN ENFER

C'est le seul ouvrage que Rimbaud ait cherché à publier. Il le fit imprimer à Bruxelles en 1873, mais quand l'imprimerie Poot et Cie lui en envoya la facture, il ne put l'acquitter et dut renoncer à prendre livraison des cinq cents exemplaires qu'il avait fait tirer.

Plus tard, Isabelle Rimbaud prétendit que son frère avait lui-même détruit les exemplaires de sa plaquette. On fonda là-dessus toutes sortes de conclusions métaphysiques, que devait ruiner par la suite la découverte, chez l'imprimeur, du tirage laissé pour compte à celui-ci.

ILLUMINATIONS

Composés, comme l'a dit Verlaine, de 1873 à 1875, ces poèmes en prose ont été édités pour la première fois en 1886, sous la firme de la revue *La Vogue,* par les soins de Gustave Kahn et de Félix Fénéon. Cette édition fut établie d'après des feuillets manuscrits qui étaient passés de mains en mains, et dont certains n'étaient pas de Rimbaud lui-même, mais de Germain Nouveau qui avait pris soin de recopier au net les proses de son ami.

Ajoutons qu'en 1886, quand les *Illuminations* furent livrées au public, aucune autorisation ne fut demandée à Rimbaud, qui se trouvait alors à Tadjourah ou à Aden. Peut-être se disait-on qu'il aurait refusé son consentement, détaché qu'il était de toute littérature depuis au moins dix ans.

AUTRES TEXTES

Nous avons réuni sous le titre de *Premières proses* deux textes de Rimbaud enfant.

Le plus ancien, *Prologue,* passe pour avoir été écrit quand Rimbaud avait huit ou neuf ans. Nous inclinons à penser qu'il date seulement de 1865. ce qui n'affaiblirait d'ailleurs pas la réputation de précocité justement faite à Rimbaud. *Charles d'Orléans à Louis XI* est une composition française demandée en classe de rhétorique au collégien Rimbaud, en 1870.

Un cœur sous une soutane date de la même année 1870. Le texte n'a pu en être publié pour la première fois qu'en 1924. Isabelle Rimbaud et son mari s'étaient jusque là opposés à sa divulgation, jugée par eux dangereuse pour la légende qu'ils s'efforçaient de propager.

La *Lettre du baron de Petdechèvre* a été découverte par Jules Mouquet dans le journal *Le Nord-Est,* où elle avait paru, signée Jean Marcel, le 16 septembre 1871. En la publiant en 1949, Mouquet a exposé les arguments qui permettent d'attribuer à Rimbaud cette satire politique écrite pour un journal de Charleville.

Les Déserts de l'Amour, à en juger d'après la graphie des feuillets manuscrits, datent de 1872. Un de ces feuillets portant en tête le mot *Avertissement* semble indiquer que ce qui nous est parvenu des *Déserts de l'Amour* constitue l'ébauche ou le début d'une série de proses que nous ne connaissons pas, et qui n'ont peut-être jamais été achevées.

Le titre de *Suite Johannique* n'est pas de Rimbaud. Il

sert à désigner des brouillons qui ne s'accompagnent d'aucun titre, et dans lesquels Rimbaud s'est très librement inspiré de l'Evangile selon saint Jean.

CHOIX DE LETTRES

La correspondance de Rimbaud comporte surtout des lettres envoyées par lui à sa famille durant les dix années qu'il passa entre Aden et le Harar. Nous n'avons rien retenu de ces lettres-là, sans rapport avec son œuvre. En revanche, nous nous sommes attachés à reproduire in extenso toutes les lettres où Rimbaud traite de la poésie, et toutes celles qui se rapportent à sa liaison avec Verlaine.

TABLE

ALBUM ZUTIQUE

UNE SAISON EN ENFER

ILLUMINATIONS

PREMIÈRES PROSES

LES DÉSERTS DE L'AMOUR

[SUITE JOHANNIQUE]

BRODARD ET TAUPIN — IMPRIMEUR - RELIEUR
Paris-Coulommiers. — France.
1522-1-5 - Dépôt légal n° 5509, 2ᵉ trimestre 1966.
Le Livre de Poche - 4, rue de Galliéra, Paris.
30 - 01 - 0348 - 04